JN115463

海に生きる
島に祈る

―沖縄の祭祀・移民・戦争をたどる―

加藤久子

海に生きる　島に祈る／目次

序章　戦前の沖縄の写真から

1935 年の糸満風景（写真提供：朝日新聞社）

写し出された戦前の沖縄

漆喰で固めた赤瓦の屋根が連なる漁村集落の家並み、魚を射止めたモリを掲げる少年漁師、漁から戻ったサバニ（沖縄の伝統的な漁船）から競って魚を選び取る糸満アンマーたち、那覇垣花町と糸満間を走る軌道馬車、そこには戦前の平和な人びとの暮らしが写し出されていた。

太平洋戦争末期の過酷な地上戦にさらされ、一般市民、日米両軍を含めた死者は二〇万人以上に上り、約四五万人の住民の四分の一が犠牲になったといわれている沖縄戦。焦土と化した沖縄では、多くの命と共にほとんどの記録が消失した。

大阪朝日新聞（当時）の記者が一九三五年に撮影し、八三年を経て大阪本社で見つかった二七七コマのネガには、貴重な戦前の沖縄の営みが写し取られ、写真集が出版された。(注1) さらに人工知能（AI）技術と住民の記憶によりカラー化した写真を加えて、各地で写真展が開かれた。二〇一八年三月、沖縄県外での皮切りとなった日本新聞協会が運営する横浜市の日本新聞博物館（ニュースパーク）で開かれた企画写真展「よみがえる沖縄一九三五」（日本新聞博物館、朝日新聞社、沖縄タイムス社主催）には、初日から大勢の人が訪れた。私が雑誌『きらめきプラス』（愛育出版）に「沖縄の女たち」を連載中の時期で、展示された写真群は「昔はこうだった」と聞かされてきた空想の光景が、現実のものとして迫ってきた。

浅瀬の海にサバニが戻ると、水しぶきを上げて走り寄り、一刻を競って魚を選び取る糸満アンマーたち（1935年）（写真提供：朝日新聞社）

南洋進出と糸満漁民

日本は一九三七年の日中戦争から第二次世界大戦にかけて「熱帯を制するものは世界を制す」と対外発展を目指してきた。一九三五年はいわばその全盛期。東南アジアへの経済進出の一環として南洋漁業が重要な政策課題となっており、大規模な漁獲を展開する糸満漁民をその尖兵として位置づけた。

今回発見された写真群が使用されたのは、大阪朝日新聞に連載された「海洋ニッポン」（一九三五年七月一三日～二二日）であり、他に類をみない漁法をもつ糸満漁民の登場もまた、国策による南進政策の意図が読み取れる。さらに連載の三カ月前の四月八日から約一カ月間、大分熊本から宮崎、鹿児島、沖縄を旅しているのが大阪朝日新聞の下村海南副社長（一九四五年に国務相兼情報局総裁に就任）と飯島曼史論説委員だ。沖縄には同年四月二〇日から二四日に訪れている。掲載記事は同年一〇月に『南游記』(注2)として朝日新聞社から発刊されるが、そこには藤本護カメラマン撮影による「海洋ニッポン」連載四に掲載されたサバニでの取り引き光景と同じ写真が使われている。「人口密度の多い沖縄県の解決は島外への移出」であり、「日本国内における沖縄は世界における日本に相似てる」とし、島国であることが水産による発展の可能性を持つと論じている。その論を受け時を待たず、「海洋ニッポン」を標題に、「琉球は『小さな日本』である」という一文を記して連載が始まる。一〇回の連載のうち七回を糸満に割き、後半の三回のうちの「名護のヒートゥ（いるか）狩り」も、名護に移住している二〇〇人ほどの糸満漁夫の活躍を挙げている。

一九三五年の沖縄の写真群は、やがて迎える戦闘の渦に巻き込まれていく背景を含み持つことに私たちは気づかされる。南進政策によって東南アジア諸国に送り出された沖縄漁民とその家族たちは、一九四一年一二月八日早朝、太平洋戦争開戦を迎える。アメリカが植民地支配していたフィリピンの在留漁民一家は、米軍の砲弾が乱れ飛ぶルソン山中を逃避行。他方、イギリス植民地支配によるシンガポールやマレー半島に留まっていた沖縄漁民は、他の日本人と共に英国憲兵に捕らえられた。その数三〇〇〇人（沖縄県人は四五七人）は、敗戦の翌年までインド北西部の砂漠地帯ラジャスタン州デオリの収容所に抑留されていた。その期間は四年五カ月にもおよんだ。敗戦後も拘束の続いた日本人収容所では敗戦を信じない「勝ち組」と「負け組」が対立、暴動へと発展する。そしてイギリス当局が出動させたインド守備軍の発砲によって、沖縄の幼児を含む日本人一九人が射殺された。この事件は、戦後三〇年を経て公開された「外務省機密文書」によって知られることとなった。同様に沖縄戦によって奪い去られた命と伝統も、アジア太平洋戦争を根拠にした日本の侵略政策に起因していたことは事実であり、よみがった沖縄の写真群は、それらの道筋を読み解く歴史的資料として活かされていくはずである。

そしてこの写真展を機に、ある一人の糸満売りの少年の姿が浮かび上がることとなった。

サバニの舳先で水中眼鏡を頭部に付けた雇い子と思われる少年から物語は始まる　（写真提供・朝日新聞社）

八三年前の祖父の写真

仏像修復の仕事に就いている田中里奈さん（一九八〇年生まれ）は、わが目を疑った。滋賀県の職場で休憩中のことだ。所長が購読している雑誌『サライ』（小学館、二〇一八年五月号）を手にしたとき、一枚の写真が目に飛び込んできた。日本新聞博物館で開催中の企画写真展「よみがえる沖縄一九三五」の紹介記事だ。その写真の中の一枚に、魚を両手で掲げる漁師のサバニの舳先で、水中眼鏡を頭部に付けた少年漁師がいた。それも顔の八割しか映ってはいないのだが、里奈さんの目には七年前に九〇歳で亡くなった祖父、大濱高利（一九二一―二〇一一）の姿が重なった。

高校卒業まで祖父宅の隣に住んでいた里奈さんは、海の好きな祖父に自前の船でよく釣りに連れて行ってもらった。八歳で糸満漁家の大城という親方に売られたと聞かされていた。具体的にどのような訓練や漁労生活であったかは聞いてはいなかったが、記事で初めて糸満売りについて知った。

一八九〇年ごろに大勢の人員を必要とする大型追込網漁業アギヤー（廻高網）が出現した糸満では、「ソテツ地獄」と呼ばれた第一次世界大戦後の壊滅的経済破綻の中で、貧困にあえぐ離島や農村部の子どもたちが雇われてくるイチマンウイ（糸満売り）と呼ばれる慣習があった。

思わず職場の同僚に、写真の少年が祖父に似ていると話す。興味を持った所長がすぐに写真展を開催している朝日新聞社に電話で問い合わせた。ふるさとの岡山県瀬戸内市に住む母の道子さん（一九四八年生まれ）に、その写真をスキャンしてメールで確認した。母も確かに少年時代の面影が残っていると同意した。連絡を受けた朝日新聞西部本社では、さっそく里奈さん母子を取材中とのこと。記事は「『糸満売り』の少年…じいちゃんなの？」のタイトルで掲載（二〇一八年六月六日）された。新聞社の了解を得て、私はその後を追った。

筑豊炭鉱へ駆け落ちした両親

高利少年はなぜ糸満に売られたのか。時代は少年の両親の結婚にさかのぼる。那覇市若狭出身の父、新垣昌太郎と石垣島生まれの母、大濱ウモトがどのようにして出会ったかは不明だが、駆け落ちして親から勘当の身であった。しかもウモトにはすでに婚約者がいただけに、親の怒りは大きかった。居場所を失った二人は筑豊炭鉱へ流れ、長男、高利が生まれる。その戸籍に記されている出生地は福岡県嘉穂郡飯塚町山内炭坑、現在の飯塚市である。

筑豊は日本の近代産業社会のエネルギー源として、明治維新後、急速に発展し最大の石炭産出量を誇っていた。まさに日本の近代化を支えてきた筑豊には、全国から多くの人びとが職を求めて集まってきた。

坑内労働は採掘作業の最先部である切羽で、石炭を掘り進める坑夫を先山（さきやま）、その炭塊を「スラ」と呼ばれるかごや箱に積み込んで人力で引き、運び出す坑夫を後山（あとやま）と呼んだ。高利少年が生まれた山内（さんない）炭坑は、衝撃的な炭坑記録画を描いた山本作兵衛が一四歳で入坑し、後山としてスラを引いた同じ炭坑である。山本によると先山と後山の一組を一サキといい、夫と妻、父と娘、あるいは兄と妹など、多くは血縁の組み合わせだったが、他人同士の組み合せも生じたという。(注3)(注4)

大濱高利さんと父親の新垣昌太郎さん
（写真提供：田中道子）

しかし昌太郎は筑豊に逃れたものの働くことはなかった。「お金のあるうちはふらりと姿を消し、持ち金がなくなると長屋に戻ってきた。帰ってくるたびに子どもが増えていった」と後年、妻のウモトは笑って話していたという。

炭坑ではそうした男の存在は、決して珍しい話ではなかった。筑豊炭鉱の聞き取りをした森崎和江によれば、「大多数の遊び人は、時にスカブラ（怠け者）といわれ、時に命をはって喧嘩し、時には臭い飯を食べ、時々がむしゃらに働き、大体において女房子どもに食わせてもらって堂々と生きた……どういうものか女坑夫で熱心に話してきかせる人々は、このスカブラを夫としていた」(注5)と記す。

糸満売りから鳥取へ

石垣島の役所に勤務するウモトの父は、娘を勘当したものの、誕生した子どもを戸籍なしにはできないと、大濱家に入籍してくれた。したがって長男の高利は母方の大濱姓となった。

それでも生計は立たず、一家は沖縄へ戻る。高利の下に三歳違いの女の子が生まれるが、その子は那覇の子どものいない家庭に養女に出され、高利は八歳で糸満に売られた。さらに、一九二九年生まれの次男も身売りされるが、のちに高利は身代金を返却してその弟を取り戻している。末の弟が生まれた一九三二年は高利一一歳の年。その出産費用がないと母親の訴えを聞き、糸満の親方に頼んで、自分の年季延長を条件に借金を申し出た。少年に「しょうちゃん」と愛称を付け、労をいとわない働きぶりを認めていた親方は条件なしで応えてくれた。

第二次世界大戦中の一九四一年、高利は満二〇歳を待たず年季があけ、仕事を求めて大阪へ行く。ガラス工場に数カ月勤めたのちに徴兵検査。ところが素潜りの潜水作業によって鼓膜が破れており不合格。ショックだった。兵隊にもなれないのかと落ち込んだ。そんなときに鳥取県で漁業に従事している知り合いから声がかかる。日本海の豊富な水産資源に恵まれた鳥取県の漁業は、地域の基幹産業として発展してきた。歴史的にも近世鳥取の沿岸、河川、湖で網、釣り、石がま漁など多様な漁業が行われてきた。(注6)

一人前の漁師として雇われた喜びもつかの間、鳥取に大震災が襲う。一九四三年九月一〇日一七時三六分五七秒に発生した鳥取地震だ。その規模はマグニチュード七・二、県東部では最大震度六が観測され、県内の死者一〇八三人、重軽傷三二五九人、全壊七四八五、半壊六一五八、全半焼は二六七におよんだ。(注7)

「仕事を終えて海のそばの家で涼んでいたら、ぐらっと大きな揺れがきた。危ないと思って、すぐ前の海に飛び込んだ。海から上がったら、その家がぺちゃんこになっていた」そんなふうに高利さんは、当時の体験を家族に話したという。

瀬戸内の海で習い覚えた漁を楽しむ

震災によってまた仕事を失い、一人で点々としていたとき、思わぬ救いの手が差し伸べられた。岡山県牛窓町（現・瀬戸内市）で人を募集している会社があるという話がもたらされたのだ。当時牛窓町では、電極（第一次焼成品）を製造する協和カーボン株式会社岡山工場（一九二九年創業、一九八六年ＳＥＣカーボン株式会社に合併）が誘致され、全国有数の生産額を誇っていた。(注8)

さっそく高利さんは応募し、入社が決定すると社宅が供与された。一九四三年二二歳になった高利青年はバラバラになっていた家族を呼び寄せた。弟たちは一〇歳と一三歳。国民学校初等科から義務教育を受けさせ、成長すると弟たちも協和カーボンに入社させた。

戦争が終わって一九四六年三月、高利さんは地元の印刷会社に働く芳子さん（一九二四―一九八九）と結婚。三人の女の子に恵まれた。共に暮らした利奈さんの母、道子さんは次女にあたる。

高利さんはこの美しい街が気に入った。牛窓は西に岡山市、北に備前市、瀬戸内海に面した東南部は丘陵地と島々が連なり、「日本のエーゲ海」といわれている地域だ。周辺の海は沖釣り、磯釣りの絶好の環境だった。牛窓の沖合に浮かぶ黒島へ高利さんは子どもたちを乗せて自前の船で渡った。自らは銛を携え、得意の素潜りで魚を突く。狙う獲物はクロダイだ。

牛窓町は古来造船の町でもある。鎖国の時代にも北前（北海道）通いの船として大型船が造られていた。一九六三年、造船所の数は大小合わせて二〇カ所に及んだ。(注9) 現在も造船業は地場産業の拠点となっている。自家用の船を持ちたいと願った高利さんの夢をかなえるにも好環境だったに違いない。

母、ウモトもまた息子たちの住む牛窓で、たくましく暮らした。戦後の日本経済が立ち直り、消費革命の時代が幕を開けたといわれる一九五〇年代後半は、ウモトにとっても活気のある日常だった。社宅の敷地で野菜を栽培し、見事な収穫物を近隣の町へ売りに行ったり、息子の高利さんが素潜りで捕ってきたクロダイを物々交換してきたりして家族を驚かせた。ふるさとの民謡を歌うのも楽しみの一つだった。なかでも八重山の民謡「鳩間節」は得意の一曲、人が集まると、高利さんがイチョウ型の撥(ばち)で弾く三味線に合わせて歌ったり踊ったりする大らかな沖縄のアンマーぶりを発揮した。

そして行方の分からなかった遊び人の昌太郎も一九五〇年代、ふらりと牛窓に現れ、何事もなかったかのように息子の高利さん一家と暮らし始めた。

「とてもやさしい祖父でした。幼稚園の送り迎えをしてくれて、私が小学校に入学した一九五六年、六九歳で、亡くなりました」と高利さんの次女、道子さん。ウモトは一九八二年、九一歳の長寿を全うした。高利夫妻が眠るお墓には大濱家・新垣家と両家の姓が刻銘されている。

家庭を顧みることなく放浪の人であった父を一度たりとも恨むことなく、糸満売りの体験で得た素潜りの技と、サバニに見立てた手漕ぎの船を生涯の楽しみとして、豊かに生きた高利さんの九〇年の人生。

「父と思われる糸満の少年の写真に、ちょうど同じ年ごろの九歳になる私の孫が重なり、驚いています。父にとっては曽孫に当たりますが、顔の輪郭などほんとうによく似ています」と道子さん。

そして孫の里奈さんも「私は祖父、高利が五九歳のときに生まれました。ですから船も手漕ぎではなくエンジンが付き、釣りも素潜りではなく糸の先に餌をつけて釣っていました。写真の少年がはたして祖父であるかどうかの確証はありません。でも写真との出会いをきっかけに祖父の人生を深く知ることになり、その足跡をたどってみたいと思います。生まれた福岡県の炭坑の地や、沖縄を訪ね、糸満売りについてもっと知りたいと思います。可能であれば漁業関係者の方々にお会いして、お話を伺ってみたい」と語った。

沖縄の写真の一コマに、かつて糸満に売られたと聞かされた祖父の姿を重ねた里奈さんとその家族に私が強く惹かれたのは、思いを同じくしたからかもしれない。むろん私には糸満につながる特定の親族はいない。しかしほぼ三〇年前、はじめて沖縄の漁村調査に入り、海に生きる女性たちの労働と祭祀という沖縄独自の異文化に耳を澄まし、試行錯誤しながら生活誌を著わすことができた。

時代を経て連載の機会を得たとき、里奈さんが祖父への思いを語ったように、私もかつて出会った人びとの足跡をもっと深くたどりたいと願った。当時出会った海人やアンマーとの再会もあったが、多くは亡くなっていた。その関係者や親族の協力を得て、思いを共有しつつ家族関係や時代背景を確認し、新たなテーマも広がっていった。そして、糸満売り、南洋移民、引揚げ、沖縄戦という過酷な体験から立ち上がり、言葉につくせない逆境をわがものとして生きていく人びとと、ふたたび立ち会っていくことになる。

〈序章 注〉

1 週刊朝日編集部編『沖縄1935』朝日新聞出版、二〇一七年。
2 下村海南　飯島曼史『南遊記』朝日新聞社、一九三五年。
3 山本作兵衛『王国と闇 山本作兵衛炭坑画集』葦書房、一九八一年。
4 山本作兵衛、『炭鉱に生きる』講談社、一九六七年、九七頁。
5 森崎和江『奈落の神々―炭坑労働精神史―』大和書房、一九七四年、三四～三五頁。
6『鳥取県史』(第八巻近世資料)、鳥取県、一九八三年、二二一頁。
7 宇佐美龍夫『新編 日本被害地震総覧〔増補改訂版〕』東京大学出版会、一九九六年、二九一～二九三頁。『鳥取地震概報―昭和一八年九月一〇日』中央気象台（国立国会図書館デジタルコレクションによる）。
8『瀬戸内海国立公園 牛窓』岡山県牛窓町役場、一九六三年、一一頁。
9 同右、一一頁。

第一章　糸満売りと南洋移民

戦前はフィリピンマニラの市場で「糸満娘の魚売り」として評判を呼んだ上原サトさん（1916–1991）。戦後はハマ売りで腕を振るった（1986年）

雇い子五兄弟と糸満娘

「糸満売り」の発生

戦前の沖縄の子どもたちにとって「糸満に売るぞ」という脅し文句は、恐怖であった。沖縄本島ではヤトゥイングヮ（雇い子）、八重山ではコーイングヮ（買われた子）と呼ばれた子どもたち。糸満漁民のもとに、前借金と引き換えに一〇歳前後の子どもが、徴兵検査の満二〇歳までを契約期間として年季奉公に出されることをイチマンウイ（糸満売り）という。男子は漁業、女子は機織りやかまぼこ屋、漁家の炊事や子守などに使われた。雇い子たちの売られていく先は、沖縄本島の漁村糸満に限らず、石垣市の登野城、新川、小浜島の細崎など糸満漁民が定着した沖縄各地に広がっていた。

糸満の玉城保太郎により、一八八四年にミーカガン（水中メガネ）が考案され、潜水作業が飛躍的に向上。一八九〇年ごろには、多数の漁業者を必要とするアギヤー（大型追込網漁、廻高網）の成立があり、その糸満を突破口として沖縄本島北部の農村地帯の貧困を背負った子どもたちが送りこまれ、「糸満売り」が慣習化された。海の狩人といわれるアギヤー要員は、優れた潜水技術を必要とされた。釣り漁でも突き漁でもなく、漁に使用される道具は、サバニと網と水中メガネをかけた〝ひと〟であった。

泳ぐことすら知らない内陸出身の少年たちにとって、素潜りで魚を追うという糸満が要求する技を習得する厳しい修行は「死ぬほどつらかった」のもまた事実であった。

しかし糸満売りは単なる身売りとは違っていた。身代金的雇用ではなくいわば前借りによる雇用契約であった。満期までの約一〇年前後の労働提供で、しかも糸満漁民としての水産技術を身につけることができた。しかし漁場に恵まれ活況を呈した八重山では、糸満とは異なる性急なものだった。

兄弟全員が雇い子に

糸満に売られ、雇い子となった島袋本一郎(しまぶくろもといちろう)さん（一九一六―二〇一七）は沖縄本島北部の国頭村生まれ。男五人、女一人の六人兄弟の長男である。一九二八年の一二歳のとき、子どもを集めに来ていた斡旋業者に自分から申し出て、同級生三人といっしょに糸満にやってきた。二〇歳までの七年間で一〇〇円の前借金が母親に渡された。雇われた先は、近海でサザエやタカセガイを素潜りで捕る漁家だった。親方は優しい人だった。雑用係をしながら潜水作業も一年ほどで覚えた。間もなく次男の本盛と、三男の本也も同じ家に買われてきた。父の本吉が肺炎で死去した一九三〇年には、四男の本長と五男の本正が八重山へ売られ、兄弟全員が雇い子の身となった。母と妹のナヘだけが国頭に残った。

一般に八重山の親方は厳しいとの風評は耳にしていたが、まだ幼い弟たちがつらい日々を送っているという母親からの訴えを聞き、本一郎さんは居ても立ってもいられなかった。早く一人前になって弟たちを救いたい。当時は南洋出漁が盛んな時期で、年季の明けた先輩たちはこぞってシンガポールやフィリピンの大型追込網船団に参加し、大金を親や妻の元に送金していた。一九歳を迎え海人としての技量が認められるようになると、彼は無謀ともいえる作戦を立てた。自分に残された一年間の年季を、一緒に雇われている二人の弟たちに半年ずつ肩代わりさせて、自分は独立した漁師としてシンガポールへ稼ぎに出してもらうというものであった。幸い親方も弟たちも快諾してくれた。

シンガポールへの出稼ぎのうた「シンガポールグヮー」(注1)に謡われるように、その旅は多くの時間を要した。那覇港から鹿児島までは船の旅、列車で熊本、福岡、博多を経て門司に着き、旅券申請をして、許可が下りるまで旅館で待機する。現地での呼び寄せ人、働き先の船団名を確定し、国際港であった門司港からシンガポールへ向かったのは二〇歳を迎える一カ月前のことであった。(注2)外務省旅券発給の記録簿「海外旅券下付表(複写版)」(糸満市教育委員会提供)に本一郎さんの記録がある。一九三六年六月三〇日に、福岡県門司水上警察署から旅券を下付(付与)されている。旅券番号、本籍、年齢、渡航地名、渡航目的が記されていた。シンガポールでは鹿児島出身の永福虎良が経営する大手船団に加わり、アギヤーに従事した。三年後には一等儲け(配当金は漁業技術によって一等から六等まで区分されていた)を支給されて資金を貯めた。

シンガポール出漁五年後の一九四一年、二五歳になった本一郎さんは念願の資金を母に託して八重山へ急がせたが、先方は現金と引き換えに弟たちを解放するより、契約通りに働かせる方が有利だとして拒否される。本一郎さんは諦めなかった。自ら現地の石垣島に出向いて代書屋で正式書類を作成し、裁判所へ提出。申し立ては成立した。元金と利息を払って、一六歳と一四歳になった弟を連れ戻すことができた。兄の一念であった。

兄弟を助け出し、雇い子の契約から解放され、晴れて一人前になった本一郎さんは長崎へ出漁して得意な素潜り漁に従事したが、危機迫る時代を迎えていた。一九四四年三月二二日、南西諸島に大本営直轄の第三二軍（沖縄守備軍）が新設され、その作戦準備の重点である航空基地建設を目的に、糸満地域にも続々と部隊が駐屯してきた。戦況が悪化する中で陣地構築が加わり、住民が防衛召集された。当然本一郎さんも防衛隊として招集を受ける。ちなみに「防衛隊」とは、沖縄住民を防衛召集により編成された部隊で、補助兵力として動員した。

糸満育ちのハルさん一家

糸満売りされた夫の本一郎さんと生涯を共にしてきたのが島袋ハルさん（一九一九年生まれ）だった。ハルさんは糸満発祥の地といわれる上之平（うえのひら）の屋号「名嘉小（ナーカグヮー）」の金城保夫とカマルの長女として生まれた。トビウオ漁を営む両親の代わりに、祖母が面倒を見てくれた。賢く愛らしいハルさんを祖母は「あんたは賢い子だねえ、このスージグヮー（路地）で一番ジョウトー（上等）さあ」というのが口癖だった。その祖母の口癖がハルさんの愛称となり、周囲から親しみを込めて「ジョウトーバー」（上等おばさん）と呼ばれるようになった。販売の担い手として、カミアキネー[注3]（魚を入れたバーキを頭に乗せて行商すること）に従事したハルさん一家の、沖縄戦から終結までの足跡をたどってみよう。

糸満市が実施した「世帯別戦災調査票」の「字糸満—上之平区」の項に、一九四五年当時のハルさん一家の記録を見ることができる。[注4]「屋号、名嘉小、戸主、金城保夫、家族数九、一般住民六（山原疎開）、軍人軍属三」となっている。内訳の所在地は山原疎開一、外地一、不明他一、戦没地は沖縄他一。つまり軍人軍属は三人で、一人が沖縄で戦死している。ハルさん一家は父、金城保夫と母カマルの間に、男四人、女三人の七人兄弟で、記録にあるように九人家族であった。ハルさんは第一子の長女で、長男亀次郎と次男徳次郎の二人の弟はすでに兵役に就き、亀次郎は満州（現・中国東北部）に配属されていた。

沖縄本島南部は主戦場なることが予想され、一九四五年二月、老人と母子の北部疎開が決定された。字糸満の場合は沖縄戦直前に一三六八人が山原へ疎開しており、恩納村、金武村、羽地村がおもな疎開地であった。[注5]

父の保夫さんは、単独で一家の避難を実行しようと決意する。妻と長女のハル、三男徳夫、次女良子、四男亀助、三女加代子を手漕ぎのサバニに載せて山原へ向かった。前もって話をつけておいた宜野座村の海辺に建つ空き家の茅葺小屋が家族七人の落ち着き先だった。いわば一時宿泊のヤールグヮー（宿小）で、周辺には数軒の民家があるだけだった。一家は持参してきた網を漁具に建干網（アンブシ）漁を営んだ。漁獲物は高台の宜野座集落に駐屯する日本軍や住民に提供し、食品と交換した。

しかし突然、一九歳を迎えた三男徳夫が防衛招集を受け糸満へ連れ戻される。しかも彼には思いを寄せ合う疎開地の女性の存在があった。「もう少し遅く生まれていたら」と涙した徳夫は、南部戦線で戦闘終結直前に戦死した。父は戦後、宜野座を訪ねてその女性に徳夫さんの戦死を伝え、悲しみを共にしたという。

沖縄戦を乗り越えて

一九四四年一〇月一〇日、アメリカ海軍機動部隊が南西諸島一帯に行った大規模な一〇・一〇空襲に襲われる。以後、東西両海岸線は、米軍の移動空路となり、住民は日米の激しい死闘の中で、雨季の山中を逃げまどった。夜は次つぎと打ち上げられる照明弾に照らし出されて怯えた。一家は国頭村東海岸の安田（あだ）集落、中部の浜比嘉島（はまひがじま）（現・うるま市）を経て玉城（たまぐすく）村百名（ひゃくな）で米軍に捕らえられる。

米軍は一九四五年四月一日、沖縄本島に上陸、読谷山（ゆんたんざ）村字比嘉に米国海軍軍政府を設置し、沖縄占領軍総指揮官であるニミッツ海軍元帥によって「米国占領下ノ南西諸島及其近海住民ニ告グ」と占領による支配権の把握と軍政の施行を一方的に宣言した（ニミッツ布告）。沖縄住民は局地戦と占領のなかで難民として収容所生活を始めることになる。米軍は捕らえた日本兵を「捕虜」、民間人を「難民」として区別したが、住民たちは米軍に捕まると「捕虜になった」と言い、捕虜は一般通念であった。

米軍政府は統治を強化するため、一九四五年九月下旬、緊急措置法によって沖縄全島民が避難した一六地区の難民収容所先に市政を敷いた。収容された住民の行動は極度に制限され、四五年四月から翌年四月までの一年間は配給による無通貨時代であり、米軍から支給されるわずかな食糧では飢えはしのげず、集団を組んで付近の農地に残された甘藷（芋）を拾い集めて分配し、野草や蛙をあさった。

一家が捕らえられたのは知念市（知念地区）の玉城村百名収容所である。収容所の範囲は『知念村史』(注6)によると、六月五日から玉城村（百名・仲村渠・下茂田）、知念村（久手堅・知念・具志堅〈シマグヮー〉・山里・志喜屋）が最初の避難民収容所となった。六月中旬にはいると、具志頭方面からの避難民が激増して、収容所は玉城村と知念村の全域に拡がっていったという。

「米軍の配給を受けて、いままで見たこともないミルクやポークの缶詰を食べた記憶がある」と、三女の親川加代子さん（一九三七年生まれ）は当時に思いをはせる。

他方、すでに抑留された防衛隊の本一郎さんは、抑留地で漁業を始めていた。一九四五年一〇月二三日、米軍政府は住民の移動計画を示し、先発隊による準備を経て順次各収容所から住民移動が開始された。しかし彼は百名南部の海岸沿いに立地する旧士族村（屋取＝ヤードゥイ）百名二区の新原(ミーバル)(注7)に居住して、本格的に漁業体制を整えていた。同じ糸満漁師であるハルさんの父、保夫さん一家も参加。ハルさんと本一郎さんの出会いの場となった。一家も本一郎さんも糸満へは帰らず、地元の人びとの支援を受けて道路脇に面した三角地帯の敷地に住まいを造り、糸満の分村、港川の復員してきた若者を集めて漁業集団を結成した。すべてを失い、焦土と化した沖縄の地で、ハルさんはカミアキネーサー（商いをする人）として腕を振るうこととなった。

抑留地で漁業集団結成

一九四六年一月二日付けで米国海軍軍政部本部指令第八六号によって設置された沖縄文教部は、沖縄の教育制度を施行、戦後教育が開始された。百名初等学校も設立認可を受け一九四六年三月、児童数八三三人による開始だった。(注8) 当時八歳の加代子さんは、二年生に籍を置いた。五年生の九月まで新原集落に居住していた。その間の一九四七年に本一郎さんとハルさんは結婚。

「積極的なオカアが先に好きになったらしいんです。このニイサンは良く働くねえ、このニイサンなら結婚してもいいなと思った、と話してくれたことがありました」と、末娘の山崎美智子さん（一九五八年生まれ）。

糸満に戻り、本一郎さんという有能な海人が加わり、ハルさんは那覇への魚売りを本格化させていった。食糧難の時代に、多くの顧客を得た。「イユコーンチョーラニー」（魚を買いませんか）と呼びかけ、天秤ばかりを扱いながら売りさばく姉の姿は、幼い加代子さんにとって誇らしい存在だった。「私とは一八歳も年の差がある姉について、トラックみたいなバスに乗って行きました。帰りにアイスケーキ（アイスキャンディー）を買ってもらうのが楽しみでした」と、加代子さん。

戦後の交通はいわゆる米軍車両の「ひろい車」を利用する形で始まる。[注9] 一九四七年八月、沖縄民政府による管理の下（民政府工務部陸運課監督）で公営バスが再開された。車両は軍政府が提供し、トラック二〇台（うち一六台を使用車、四台は予備車）とすると決められた（『琉球政列島米国軍政本部指令第号』[注10]）。加代子さんが姉と共に乗ったのはこの時期のトラックバスだった。

夫婦は一九五七年、現在の字糸満に土地を購入すると、ハルさんは真っ先に仮住まいと「ジョートーバーさしみ店」をスタートさせた。翌年、本一郎さんのシンガポールからの送金で新築した山原の赤瓦の住宅を、糸満に移築した。その家は現在、理髪店を営む長男の勝男さん（一九四五年生まれ）と妻の昭子さん（一九四九年生まれ）が大切に守っている。

雇い子と親方の娘

後継者として結婚

森シゲ子さん（一九二二年生まれ）の生家は、字糸満の中央部に位置する新島区（ミージマ）の漁家であった。屋号は新出保才（ミーンジフセー）、建干網や採貝、エビ捕りなどを稼業とし、常に一五人前後の雇い子を集めていた。シゲ子さんは四姉妹の次女であった。姉はすでに大阪の紡績工場へ働きに出ていたので、魚売りは彼女が担っていた。泊まりがけの出漁組もいたが、本島周辺を漁場とする雇い子たちが同じ敷地内の使用人小屋に寝起きしていた。その中の一人が、後に夫となる森茂吉（もりしげきち）さん（一九一七年生まれ）であった。親方の玉城重一（一八九六―一九七三）と妻ウト（一八九九―一九八九）の娘と、雇い子の結婚であった。茂吉さんは満一二歳のとき鹿児島県奄美群島最南端の与論島から糸満売りされてきた。貧しい農家の四人兄弟（三男一女）の次男に生まれた茂吉さんは、幼くして母を亡くした。尋常小学校四年の途中であった一九二八年から二〇歳までの八年間の契約で一五〇円だった。

茂吉さんが売られたおかげで一家はしばらく空腹を癒すことができたが、貧しさは続いていた。一四歳になった弟の高興（一九一九―二〇〇三）の将来を考え、親方に頼んで五年間一二〇円で買ってもらった。漁に長けた弟は一九歳で特別満期になり、三年間三〇〇円の契約でフィリピン・マニラの追込網船団のクーヨー組に雇われていった。漁業の腕を身に付け、戦後も糸満に定着した弟は、一本釣りと延縄漁業に従事し、海人として生きてきた。

弟とは違って兄は漁師が苦手だった。立ち泳ぎは覚えたが小さな手漕ぎのサバニが、どうしても体質に合わなかったのだ。しかし船酔いで血を吐きながらの修業を乗り越え、雇い子たちのリーダーとなった。北風の吹くころになると、茂吉さんの率いる漁業集団は、与那原から宜野座村の漢那を中心に、その他の季節は与勝半島の屋慶名（やけな）や勝連（かつれん）を拠点に民家を借りて収穫を上げた。

シンカ（要員）のための食事の世話や近隣の市場に卸す役目を担って集団について行くようになったシゲ子さんと茂吉さんは恋に落ちた。そんな雰囲気に気づいた親方が強く望んだ結婚だった。

一九三七年、茂吉さん二二歳、シゲ子さん一七歳の新婚生活だった。茂吉さんは雇い子として住んだ使用人小屋から同じ敷地内の別棟に移り、親方の後継者として新出保才家の一切の仕事を仕切るようになった。翌年一月長女初子が誕生、茂吉さんは友人からの呼び寄せで、さらなる飛躍を求めて、親方から三〇〇円を借金、家族を残してフィリピンへわたった。

フィリッピン海域で活躍

国防国家建設のための大東亜共栄圏確立の尖兵として送り込まれた糸満漁民は、フィリピン海域で独占的に活躍していた。一九四二年の日本人漁業者六七一八人のうち沖縄県人が六一六四人で、現地漁業の九〇%を沖縄漁民が占めていた。[注11]しかし、一八九九年以降アメリカの植民地であったフィリピンでは、日米関係の悪化にともない、沖縄の漁民が操業する海の規制は強化される一方だった。「漁業者免許証」は、フィリピン人とアメリカ人のみに許可し、邦人漁業者は指導的地位にいる少数の者に限られた。資本の七〇%までが米国人、あるいはフィリピン側の出資であることが操業許可の条件となった。他方では販売面の立ち遅れ対策として腕の立つ糸満女性が進出する[注12]など、営利と規制の激動の中にあった。フィリピン全体の鑑札所有漁船は、一九三九年現在で二二七隻。内訳をみるとフィリピン人名義一六一、会社商店名義三九隻、米国人名義三隻、日本人名義は二四隻[注13]にすぎなかった。

茂吉さんは、当時盛況を呈していた大型追込網一六船団[注14]の一つであるアルボー組（所有者・名嘉松太郎）に参加した。漁場はパラワン島、ボルネオ島、セレベス島（現・スラウェシ島）近海をわたりながら大量の水揚げを誇っていた。船団は五人から六人を乗せた運搬船と、一隻に七人が乗り込んだサバニ四隻のおよそ三〇人が一組である。パラワン島とミンドロ島のほぼ中間にある離島のサンミゲール島に簡易宿泊所を設置し、四組から五組が中継基地として操業、漁獲物は運搬船でマニラへ運んだ。「漁夫鑑札」を所有していないことを理由に逮捕者が続出し、漁師は上陸できない日が続いた。妻のシゲ子さんもまた、フィリピン帰りの漁師仲間から厳しい状況を耳にし、夫の身を案じていた。

米軍潜水艦の魚雷攻撃

一九四一年六月、太平洋戦争開戦を目前に操業は完全に不可能となり、茂吉さんは海南島で軍属として働かされる。八重山を経由して沖縄に戻るが、一九四三年召集を受け二七歳で海軍佐世保に入隊。長男庸夫（一九四二年生まれ）も誕生し、幼子二人を残して糸満を後にした。

戦況が悪化する中で、セレベス島南部のマカッサルに派遣され、日本商船の護衛艦や輸送船で働いた。敗戦直前の一九四四年二月、セレベス島とボルネオ島間を航海中、米潜水艦の魚雷攻撃を受けて護衛艦は沈没、乗組員九〇名のうち生存者は茂吉さんを含めわずか五名という悲惨な事件にも遭遇した。

護衛艦隊に編入されマカッサルなどセレベス南西に沈没した民間船舶は、鞍馬丸、朝晃丸、南鵬丸など二二隻であった(注15)。敗戦を迎え、マカッサルの奥地で自給自足しながら引き揚げ船を待ち、一九四七年四月に和歌山県田辺を経て鹿児島に着く。しかし沖縄は全滅したと聞き、ふるさと与論島に六〇トンのポンポン船（焼玉エンジン）に三〇人もが相乗りして引き揚げた。そのときのことを思うと、茂吉さんは、いまでも生きて帰れたことが信じられないという。

兄の家に居住し傷心の日々を過ごす中で、沖縄本島具志頭村（現八重瀬町）港川の漁民に出会う。米軍占領下の沖縄の状況と、家族が宜野座村漢那に疎開して無事であることを知る。その漁民によって当時糸満に居住していた親方であり、義父である玉城重一さんに朗報が伝えられ、親方は急ぎ数人の海人を引き連れて、茂吉さんを迎えにサバニで与論島へ向かう。

他方、茂吉さんも家族のもとへの帰還をめざして、沖縄本島へ密航するというサバニに同乗していた。伊江島、今帰仁を経由して上陸、陸路を歩いて真和志村（現那覇市）安謝にたどり着く。安謝からは通りがかりのトラックに便乗して糸満に着いたのは一九四八年一月。すでに家族も疎開先から引き揚げ、南区の重一宅に同居していた。糸満町の場合、街中は焼け野原になっていたが、南区、前端区、町端区は戦禍をのがれた民家が多く残っていた。[注16]「ある日ひょっこり祖父の家に父が現れたんです。本当に嬉しかったし、母の喜びようは大変なものでした」と長女の初子さん。

茂吉さんのふるさと奄美群島は、一九四六年二月二日、連合軍総司令部が発令した「二・二宣言」によって旧鹿児島県大島郡の北緯三〇度以南の島々が「本土」と分離され、米軍占領下の「琉球列島」に再編されることになる。沖縄県域と同様、他領域との渡航が厳しく制限されることになった。住民にとっては突然の出来事であった。

1963年ころの森さん夫婦。戦後の混乱期を乗り越え酒店経営。（写真提供・湧稲国恒子）

「二月二日午前七時のラジオ放送は、東京連合軍最高司令部から日本政府に覚書を交付し、〈北緯三〇度以南の奄美群島は九日、日本本土より行政分離した〉ことを報じた。郡民の衝撃は大きかった」。[注17]

茂吉さんが密航した当時の様子を『うるま新報』[注18]（一九四九・九・二七）が報じている。

「流れこむ一万の大島人」と題し、「現在沖縄に密航している者は約一万に近いとみられるが、これらの中では大島の経済的な苦しさから沖縄を楽天地の如く想像して渡航した者が多い」としている。

密輸・鉄屑・ダンス

糸満に帰還した茂吉さんは夜の海で電灯潜り漁をし、漁獲したイセエビはアメリカ軍に売った。さらにヤミ商売に関わり、与那国ルート、香港ルート、鹿児島方面にも出かけた。真鍮を集めて本土に輸出するため、仲間六人で那覇に事務所を設けるが、価格の下落で長くは続かなかった。

子どもは六人になっていた。一九四八年に次男、四九年に三男、五一年に四男、五三年に次女と、シゲ子さんは子育てと貧しい家事のやりくりの中、借家で早々に鮮魚店を開店させた。茂吉さんも糸満の泡盛、玉福酒造所の社長の勧めで、酒の販売を引き受け自転車で配達していた。車の免許を取ったのは一九六二年ころのことだ。

一九六一年一〇月に一町三村合併によって糸満市では、人口過密状態を解消するため埋立て事業が進められてきた。第二次埋立て事業として糸満漁港西側（旧市役所周辺）が一九七〇年に竣工、分譲された。茂吉さんは、さっそくその土地を購入、糸満の酒店店主として地元商工会の有力メンバーのひとりとなった。

シゲ子さんと茂吉さんは、思いがけない生涯の趣味を持つことになる。社交ダンスだ。米軍占領下におけるアメリカ世の沖縄ではダンスが大流行した。街のダンススタジオは賑わい、企業のクリスマスには必ずダンスパーティーが催された。糸満にもダンス教習所がいくつかでき、茂吉さんとシゲ子さんもレッスンに通った。長女の初子さんは高校を卒業すると那覇に就職、数カ月ぶりに帰宅してダンスの踊れるレストランで家族と食事をした折、両親がワルツやタンゴを見事に踊ったのには驚いたという。

占領下のダンスパーティの様子を「不安と好奇秘めて―おどり抜く那覇娘たち！　ライカム・ダンスパーティ」と報じたのは『うるま新報』（一九五〇・二・一九）だ。内容は、ライカム・サービスクラブのマロン少佐主催のダンスパーティに招かれた那覇娘たち三〇数名が、当間那覇市長やお歴々に付き添われ迎えの車に分乗。〝米兵さんと踊る〟最初の経験なので一抹の不安を抱くが、午後八時前、ずらりと並んだ米兵に迎えられ、胸に美しい花をつけてもらい、赤、青、黄の極採色に彩られて目もまばゆいばかりのホールに導かれる。誘導されて一組が踊り始めると次つぎと流れるバンドの甘いメロディに乗ってダンスの輪は広まり、二時間の楽しい舞踏会が続いたと報じている。

沖縄本島各地の企業や団体では、年末になるとダンスパーティーが盛んに開かれるようになり、糸満でも一九七〇年代の一一月から一二月にかけてライオンズクラブや農業青年クラブなどのダンスパーティーの記録がみられる。(注19)そんな時代の流れをいち早く体現したのがシゲ子さん夫妻だった。「私が中高校生くらいのときから父と母はおしゃれしてダンスに出かけていました。お酒の配達をすると、バーで踊ってくる。いつも二人で仲の良い両親でした」と次女の恒子さんは笑う。

孫にも恵まれ、生活を楽しんでいたシゲ子さんは、一九九五年七四歳で急逝した。脳梗塞だった。

あまりの突然のことに茂吉さんは事実を受け止められずにいたが、それを救ったのもダンスだった。

　シゲ子さん亡き後も、茂吉さんは雇い主だったシゲ子さんの両親に誠意を尽くして面倒をみた。一九七三年七七歳で亡くなった親方であり義父である重一さんを看取り、その二年後には義母のウトさんが転んで寝たきりになった。病院から介護施設に移り九二歳の生涯をとげるまで、茂吉さんはウトさんを見舞い、スプーンで食事をさせることを日課にしていた。しかし、茂吉さんには門中を継承することはできない。門中は始祖を同じくし、同じ墓に入るハラ（腹）と呼ばれる父系血縁集団である。重吉、ウト夫妻は「上米次腹（ウイグムチバラ）、保才（フセー）門中」（宇那志、保才、玉城、座久仁の門中の共同墓）に属し、すでにトーシー墓（本墓）にウンチケー（お連れ）されている。問題は仏壇だった。糸満は沖縄の他地域に比べて門中観念の強固な地域であり、長男優先の継承が原則とされ、他系からの養子取りは禁忌とされている。例えば他門中の出身の娘婿が家や位牌（トートーメー）を継承すると、タチーマジクイ（他系混交）の禁忌に抵触するとされる。[注20] そこでシゲ子さんの二人の妹が僧侶に依頼し、永代供養という形で仏壇を処理したという。

　その茂吉さんは現在、宇兼城の介護施設に入っている。二〇一七年一一月二四日、私は森茂吉さんと久しぶりの再会を果たした。穏やかな表情を浮かべ、ロビーで三線を聞かせてくださった。「毎日が楽しくてありがたいです。ダンスは車いすでも踊りたいですよ」と笑顔だった。苦難の道のりではあったが、糸満売りから始まった人生に悔いはないと、茂吉さんは胸を張った。

「南洋帰り」の女たち

糸満漁民の移住地・字港川

沖縄本島南部に位置する八重瀬町字港川（旧具志頭村）は、糸満漁民が移住して形成された分村である。人びとは糸満の言葉を話し、集落行事はすべて糸満と同じく旧暦で行われる。(注21) 大型追込網漁アギヤーを始めとする多様な潜水漁法を生み出した糸満漁民は、新たな漁場を求めて各地に出漁し、やがて定着した分村は、南西諸島全域で一六の集落が確認されている。(注22) しかし字港川は自然発生的に形成された村落ではなく、近世琉球の文政年間（一八一八―二九）に、具志頭間切が行った移住募集により、兼城間切糸満村の漁民が移住したという歴史的背景をもつ。ちなみに「間切（まぎり）」は王府時代の行政区画単位で、現在の市町村に相当する。

首里王府は、間切・村単位に租税を賦課していた。貢租に苦慮した具志頭間切がその不足分を補うための「移住募集」(注23)対策であった。もともと糸満村の漁民は良好な漁場であった港川（旧上港原）で、季節漁業を行っていた。入江に面した広大なサンゴ礁群は、首里王府が中国へ輸出していた、なまこ、貝類、海人草の宝庫で、その漁獲を担った糸満漁民が、海叶え（うみがな）（入漁料）を支払って入漁していた。

具志頭間切としては、その入金を安定的に組み込む策であり、糸満村と同様、移住募集に応じた帰農士族が形成した地域は、現在の字後原、字大頓、字長毛である。(注24)

しかし糸満漁民は、移住したとはいえ、門中組織の成員であることには変わりはない。字港川の地に一基の墓も持たず、帰属する糸満の地の門中墓を使用した。現在字糸満には四〇門中、墓は共同か単独で三一基が存在しており、字港川には約一六の門中が移住している。(注25)

火葬が行われていなかった一九四四年までは、龕(がん)に乗せた遺体を糸満の墓まで運んだ。葬式旗、白位牌、仮のウコール(香炉)、酒などを備えたメージク(前卓)の後に家族や近親者、次いで若者四人に担がれた龕が続く長い葬列が、一〇キロ以上ある糸満に向けて進んだ。途中、東風平村(現八重瀬町)字富盛を過ぎた集落のはずれの路上で休憩をとり、昼食をすませて、糸満の共同墓に至ったという。この祖先の地糸満への道筋を、港川の人びとは糸満道(イクマンミチ)といった。(注26)

現在、字港川の人口は七八一、世帯数三五二(二〇一八年九月三〇日現在・八重瀬町住民環境課)。港川漁業協同組合の組合員は正組合員二四名、準組合員三〇名である。漁業は、一九八四年にパヤオ(浮魚礁)が設置されて以来、伝統的な「石巻き落とし」によるキハダやメバチなどのマグロが水揚げされ、解禁される一一月から翌年六月まではソデイカ漁も盛んに行われている。

南洋諸島への移住と帰還

字港川は八重瀬町で唯一の漁業集落である。字内には六店の鮮魚店があり、そのうちのひとつ、

「魚安市場」の看板を挙げる上原キクさん（一九二五年生まれ）を訪ねたのは、二〇一二年一一月のことだった。当時キクさんは八八歳を迎えていたが、早朝四時に起き、長男の上原勝彦さん（一九五七年生まれ・八重瀬町議会議員）の助けを借りてセリに参加し、魚を選び、忙しく働いていた。

「うちはトラック（諸島）からの南洋帰りですよ。数え年一二歳から八カ年の契約で糸満売りされてね、その親方の家がトラックで漁をしていたのよ。学校も行かず、一二〇円で売られましたよ。港川の実家は貧しくて親戚もなく頼る家もない、父を早く亡くしてお母さんが困っていたからね。五人兄弟の私が長女なので、自分から進んで買われて行ったんですよ。トラックの親方の家では、男の雇い子と海人が一六名もいたんですよ。子守りから、男たちの食事の世話まで、魚も売りに行きました。豆腐も作って、天ぷらも揚げてね。トラックには朝鮮の人もたくさん働いていいました」。

上原キクさんは、注文の魚をさばき、パック詰めにしながら手を休めることなく語り続けた。

笑顔で接客する 2010 年ごろの上原キクさん（写真提供・上原勝彦）

沖縄県民の南洋進出

戦前から多くの沖縄の人びとが移住し、「南洋生まれ」「南洋帰り」と言い習わされてきた南洋群島は、当時の日本では「内南洋・裏南洋」と呼ばれた。それ以外の特にオランダが領土としていた現在の東アジアやオセアニア地域などの欧米の植民地を「外南洋・表南洋」と呼んで、東南アジアの南方の範囲を表記した。つまり、「南洋」は第二次世界大戦までの概念であり、日本と欧米の植民地支配の最前線をなしていたのだ。

日本海軍は一九一四年に、南洋群島（太平洋赤道以北のドイツ領マーシャル群島、カロリン群島、マリアナ群島）を占領し軍政により統治していた。一九一九年のヴェルサイユ平和条約によって一九二〇年一二月、国際連盟理事会で日本のC式委任統治が決定。[注27]受任し群島を獲得した日本は一九二二年、開拓のために南洋庁を置き、国策会社として南洋興発株式会社、南洋拓殖株式会社を設立し、一九四一年一二月の太平洋戦争開戦までの期間、安定的な統治行政を進めてきた。

管轄下をさらに六つの行政区に分け、サイパン、ヤップ、パラオ、トラック、ポナペ、ヤルートの各島に六支庁所が置かれた。[注28]

南洋群島への移民は、第一次世界大戦中の日本統治時代に開始されるが、本格的促進は南洋庁設置後であった。一九三八年には「海洋漁業の振興を策すべし」と拓務大臣の檄が飛び、[注29]海洋資源の開発が策定され、「南洋進出は沖縄人が最適」（大阪朝日新聞一九三九・九・二）と沖縄漁民の活躍が大きく報じられるようになる。「南進沖縄」は国策をもって推し進められ、一九三九年の南洋群島における沖縄県人の人口は四万五七〇一人に達し、全体の五九・二%を占めた。[注30]さらに一九四二年の漁業者数は、日本人漁業者六七一八人のうち沖縄県漁業者が六一六四人で、漁業の九〇%が沖縄県出身者の手に収められ、漁場も商店街もほとんど沖縄の延長といった様相を呈していた。[注31]沖縄の人びとにとって南洋行きの最大の目的は貧しさからの脱出であり、より多くの収入を得るためであった。移住体験者の回想集でも「戦争がなければいつまでも南洋がよかった」し、「沖縄は芋ばっかりだったが、南洋は贅沢にご飯が食べられた」と述べられている。[注32]日本海軍が南洋群島を占領するとまもなく、沖縄の漁民が出漁した。トラック諸島では一九一九年に、字糸満出身の玉城松栄が数人の仲間と共に入漁し、追込網や建干網を操業していたが、カツオやマグロの魚群を見て、翌年、一〇馬力の発動機をつけて「鰹洋丸」として操業したのがカツオ漁業の始まりといわれる。[注33]同時期にサイパン、パラオでもサバニを用いた小規模な漁業が始められていた。その後南洋庁が調査を開始し、国策会社の南洋興発株式会社が設立されて島々を開拓、一九三五年にはその子会社である南興水産株式会社により大規模な工場が設立された。したがってカツオ漁と加工業の担い手は沖縄出身者が主体であった。

トラック諸島の漁業根拠地は、春夏秋冬の名がつけられた四季諸島と、曜日で呼称される七曜島の二島であり、三〇余のカツオ節加工工場が昼夜を分かたず黒煙を吐き続けていた。夏島にあった南興水産会社の製氷工場も拡張され、飼料と漁場に恵まれたこの諸島は、沖縄漁民の檜舞台であった。[注34]

他方、広大な環礁を有するトラック諸島は、日本海軍の太平洋中部における一大根拠地となっていった。太平洋戦争中の一九四四年二月一七日から一八日にかけて、アメリカ軍機動部隊による大規模な空襲が襲った。対策を迫られた日本軍は女性や子どもたちの引き揚げを急いだ。その趣旨は「第一線に活躍する住民の足手まといになることを避ける」というもので、一九四三年一二月から老幼女子の引き揚げを開始、その数は一万六一九七人となった。うち航行中の撃沈による水没者は約一七〇〇人とされている。[注35]

キクさんも、「戦争のおかげで一カ年早く年季があけて、沖縄に帰してもらえた」と、語っていることから比較的早い帰還だったと思われる。しかしふるさとで待っていたのは、過酷な沖縄戦だった。

具志頭村では、一九四四年八月二〇日、日本軍の球部隊に属する野砲隊が来島し、字港川を中心に輸送部隊として陣地を構築した。さらに同年一〇月、武部隊が陣地構築を継続するが、同隊は一二月二八日ごろ台湾に移動。かわって中頭郡具志川村から山部隊が来村、港川の輸送部隊とともに陣地の建設が続けられた。三月二三日、字港川を中心に艦砲射撃が集中し、三月二六日軍命により、新城以北の村民は東風平以北に避難を命じられた。当時の港川沖は、米軍艦に包囲されていたので、日本軍は米軍が港川から上陸するものと予想し、東風平、大里に駐在の軍隊を具志頭村に集中させたが、米軍は四月一日、中部西海岸の読谷、北谷から上陸した。[注36]

沖縄戦の激戦地となった具志頭村は、住民を巻き込んだ熾烈な地上戦が六月終わりまで続いた。戦闘中の六月一日から住民は米軍により続々と収容された。

家族はちりぢり、お互い身寄りを尋ねる人びとでキャンプ内は混乱した。家という家もなく地べたに天幕を張り暮らすもの、木の切れ端や竹を集めて家を建て、わずかな雨露をしのぐのも困難な状態であった。一〇人中八人は栄養失調や病人、負傷者で、一坪に四、五人、瓦葺の残存家屋には最高五〇世帯以上、一二〇から一三〇人が入っていた。[注37]

インド抑留帰りの夫と二人三脚

キクさんが二二歳で結婚した夫、上原牛一さん（一九一八―二〇〇〇）は、インド抑留からの帰還者だった。インド抑留とは、戦前からシンガポールやマレー半島、ビルマ（現ミャンマー）などの英領植民地に居留していた民間人や沖縄の漁民を含めた約三〇〇〇人の日本人が、一九四一年一二月八日の太平洋戦争開戦により、敵国人として所轄警察によって一網打尽に捕らえられ、最終的にはインド北西部に位置する砂漠地帯、ラジャスタン州コタ近郊のデオリ収容所（Deolo Camp）へ移送されたことである。インドに日本人強制収容所があったことはほとんど知られていない。解放されたのは戦後の一九四六年五月末であった。

「インドのことはあまり話したがらなかったけど、漁業に出ていて爆撃で耳を切られたといって、片方は聞こえなかった。あの人も一五歳のときにシンガポールへ行ったはずよ。母親は早くに死んで顔も分からないって。みんなお金がなくて、苦労して大きくなっているんですよ」と、キクさんは亡き夫を偲ぶ。

牛一さんはインドから帰って、サバニでマグロとトビイカ漁を専門とし、キクさんはその魚を頭に載せて字具志頭まで売りにいった。字港川の女性たちは、キクさんのようにカミアキネーがほとんどだった。その魚行商と路上販売が一変するのは、一九七二年の本土復帰以降である。公設市場の外や道路端でたらいを置いて魚を売っていた女性たちは、見回りに来る保健所の車に追われるようになるのだ。

沖縄県は衛生上の問題から魚介類の行商を取り締まり、一九九〇年代には厳しい見回りが強化されていく。「食品衛生法施行条例」のもと、「食品衛生法」（昭和二二年一二月法律第二三三号）の施行であった。そうした経緯の中で字港川には続々と鮮魚店が出店し、二〇〇六年には、アンマーたちが経営する店が九店舗にのぼった。

キクさんも、親戚関係で同じ幸地腹門中の上原ハツさん（一九二〇年生まれ）と魚売り仲間の宇良スミ子さん（一九三三年生まれ）の三人でワタクサー（私財）を出し合って開店し、「魚安市場」として、各自で売り場をもった。一九九五年ごろのことだ。

那覇からもやってくる顧客をもつほどになった三人はいまや引退。六年前にお会いしたとき、キクさんが別れ際に言った言葉が印象的だ。

「子どもたちはもう店を閉じた方がいいというけど、それじゃあ何をして暮らせばいいの。テレビは子守り歌代わりで、観ているとすぐ眠くなってしまう。そしたらボケるに決まってるでしょう。仕事をしないと大変さあ」。

ロタ島の生活と戦後

キクさんと共に「魚安市場」を出店した上原ハツさん（一九一〇―二〇〇七）もまた南洋帰りだ。夫の上原亀吉さん（一九一五年生まれ）と南洋群島のロタ島で結婚し、漁業に従事した。七人の子

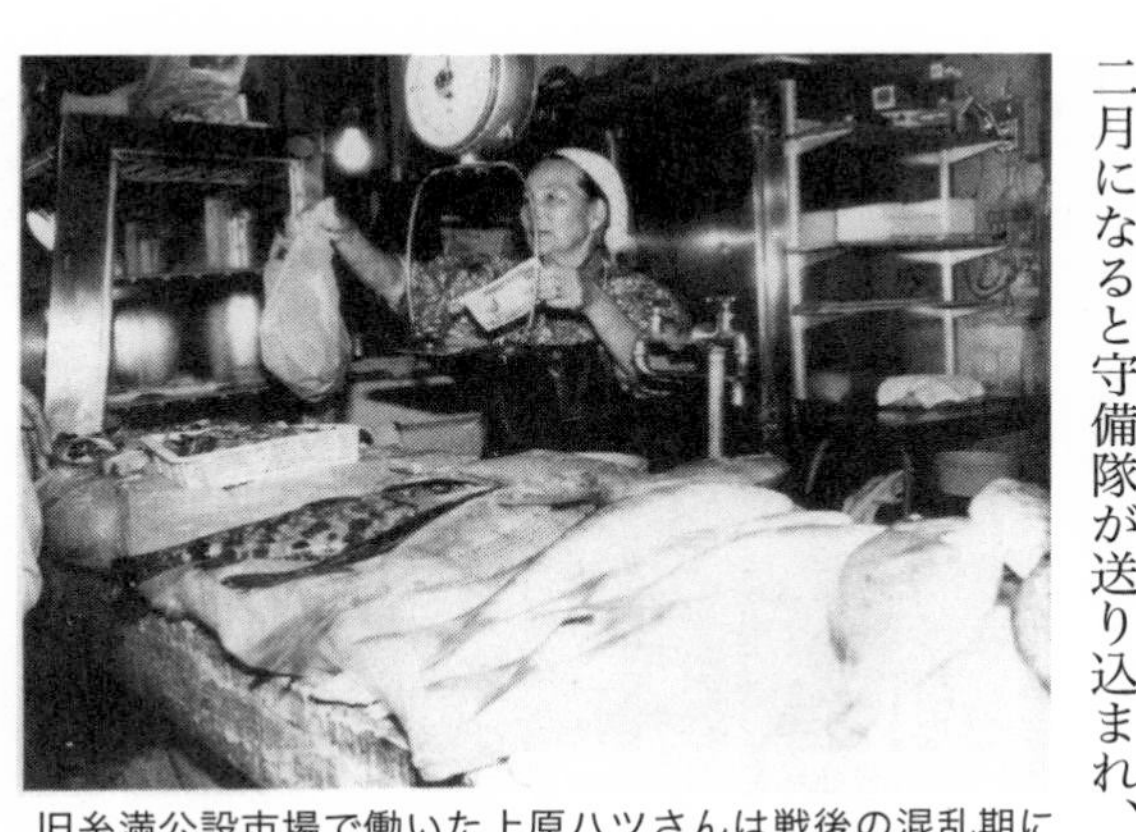
旧糸満公設市場で働いた上原ハツさんは戦後の混乱期に女性３人で鮮魚店を共同経営した先駆者（1986 年）

どものうち、長女のタエ子さん（一九三九年生まれ）と、長男（一九四三年生まれ）、次女（一九四五年生まれ）は、ロタ島生まれだ。引き揚げのときタエ子さんは七歳、次女は乳飲み子だった。

太平洋戦争中のロタ島では米軍の上陸がなく、地上戦は行われなかったが、孤立した状態に置かれた。マリアナ沖海戦に参戦し、ロタ島に不時着したパイロットの体験記(注38)によると、一九四四年二月になると守備隊が送り込まれ、最終的に海軍二〇〇〇名、陸軍九五〇名に至り、一九四五年九月四日、生き残った日本海軍一八五三名、日本陸軍九四七名がロタ島を離れたと、記す。

またロタ島移住者の証言集(注39)によれば、男は徴用されたが、引き揚げ時期はほとんどが一九四六年一月から三月で、家族とともに帰国している。戦後も抑留されることもなく、自分たちで避難小屋を作って米軍の仕事に通っていたと語る。つまり米軍上陸のなかったパラオ諸島、ポナペ島、その他の島々は、爆撃から逃れた先のジャングルや岩窟などで敗戦を迎え、米軍の監督のもと、地域ごとに自治を行ったのだという。(注40)

空襲には襲われたものの、ロタ島は陸の孤島状態に置かれたことで、比較的被害は少なかったと推測される。

「引き揚げてからの沖縄での生活の方が難儀だった」とタエ子さん。字港川の実家は戦禍で破壊され跡形もなかった。土地の境界線も分からない状況で、一家は字富盛（旧東風平村）の辺りに自分たちでテントを張って住んだ。

やがてタエ子さんは玉城幸栄さん（一九三六年生まれ）と、一七歳で結婚。夫は糸満出身の海人だった。長女敦子（一九五八年）、長男幸男（一九六一年）、次女重美（一九六四年）、次男幸二（一九六七年）に恵まれた。

背中にはいつも赤ん坊を括り付け、東風平あたりまで魚売りに行った。母のハツさんは三人で鮮魚店を開いて三年目に病気で倒れた。その店をタエ子さんが引き継いで、もう二〇年になる。現在は「玉城鮮魚店」として営業している。

母たちが出店した「魚安市場」で玉城鮮魚店を開く玉城タエ子さんと次女の重美さん（1998 年）

仕入れは次女の重美さんが担当し、地元のセリ市場で仕入れて、足りないものは糸満や知念の市場とも取り引きする。他の店にはない魚も取り扱い、特色を出したいからだ。鮮魚ばかりでなくメカジキのフライにも力を入れている。

タエ子さんは苦難の時代を生き抜いた母たちが開店した鮮魚店を、時代の要求に応えながら大切に守っていきたいと願っている。

南洋に生まれ、戦後沖縄を生きる

トラック諸島からの帰還

トラック諸島で生まれた金城節子さん（一九三九年生まれ）の父の大城亀太さん（一九〇八―一九九八）と母のクニさん（一九〇九―二〇〇四）もまた、結婚まもなく「魚を売って、働いても働いても銭（ジン）グヮーが取れない」沖縄を後にしてトラック諸島へ移り住んだのだった。

活気にあふれた南洋群島も一九三六年以降、しだいに戦局が色濃くなり、軍事施設が配置されていった。（注41）なかでもトラック諸島は、主要基地が築かれ、日本の海軍艦隊の絶対的国防圏の本拠地とされた。

節子さんが五歳、長男弟が二歳を迎えた一九四四年二月一七日から一八日の二日間にわたって突然アメリカ機動部隊六集団の攻撃（空襲と艦砲射撃）を受け、日本艦船の沈没四〇余隻、飛行機損害約二七〇機などの大被害を受けた。（注42）予想よりはるかに早かったトラック来襲は、日本の陸海軍中央部に大きな衝撃を与えた。

日本軍による老幼女子の引き揚げ勧告によって、節子さん一家も兵役に取られた父を残し、母と幼子二人の帰還となった。

「引揚船が米軍の魚雷にやられるといううわさは母の耳にも入っていて、無事に帰れるとは思っていなかったと話していました。家族が助かったのは私が船に乗る寸前に高熱を出したためで、乗るはずだった船は魚雷にやられたそうです。母は、親子がバラバラで死なないように万一のときは三人の手首を結ぼうと思っていたというのです」と節子さんは引き揚げ時の恐怖を語った。

久米島の奥武島での生活

一家は父方の祖父母が漁業を営んでいた久米島の離れ島、奥武島へ身を寄せるが、引き続き激しい戦闘が待機していた。沖縄諸島への米軍上陸による沖縄戦である。

仲里村役場の『仲里村誌』(注43)によれば、那覇空襲の一九四四年一〇月一〇日、米軍四機が初めて久米島に現れる。一九四五年一月二二日は久米島の各地で空襲、兼城港に停泊中の船団八隻が撃沈され、仲里国民学校に爆弾二個が投下される。三月二三日ごろから近海に数百隻の艦船が現れ、村民は山へ避難する。三カ月を経た山の避難所は食糧不足で、壕での出産や病人も続出し、自殺者も出たと伝えられた。

「奥武島は孤島ですから、避難場所はありません。おばさんたちにおんぶされて仲里村の山に逃げたのを覚えています。戦争が終わって奥武島に戻ってくるときも、女の人たちは顔に墨を塗って、ぼろ着をまとっていました。米兵から身を守るためだと聞かされました」と節子さん。

戦後の奥武島での暮らしは厳しいものだった。水道も電気もない。放置されていた巨大な魚雷の砲弾殻を水がめにして、井戸から汲んできた水を貯めていた。トラック諸島から復員した父はカツオやイカ釣りを始め、潜りによる貝類の捕獲にも従事し、母はそれらの魚介類を久米島へ渡って米や芋などの食糧と換えてくる。家族も次男弟（一九四七年生まれ）と三男弟（一九五〇年生まれ）が加わり、長女の節子さんは学齢期になっても通学どころではなかった。幼い弟たちの面倒、水汲み、畑仕事、燃料集めで一日が暮れた。燃料には島に繁茂するモクマオウ（オーストラリア原産の常緑高木で防風林として植栽）の葉を拾い集めて使用した。当時の奥武島の子どもたちにとって当たり前の日常だった。中学半ばで節子さんは家族と離れて糸満へ出稼ぎに出る。

「糸満は私にとっては大都会でした。母方の叔母の家に身を寄せて、パン工場やかまぼこ屋で働きました。そのころ父が漁業収益を上げるためにサバニを購入したので、私の少ない給料から月賦で払っていました。私は長女ですからね、やらんといけんでしょう。その父が亡くなるとき、お前に何も上げるものがないから、トゥク（徳）をあげるさ、と言われた。その言葉を宝物に、どんなにつらいときも支えられてきました」。

二一歳になると節子さんはさらなる向上を夢見る。美容師になろうという友人の誘いで沖縄脱出を決意、奈良県に嫁ぎ、お好み屋をしていた母の妹を頼ることにする。「戦前の糸満の女たちはフィリピンやシンガポールまで魚売りに行っているんですからね。奈良や東京なんて日本国内に過ぎないと、無鉄砲そのものでした」。

叔母の店を手伝いながら大阪の美容学校へ通った。美容師はあこがれの職業だった。

「田舎娘だったんですね、資金も尽き将来像をつかめないまま、だんだん都会の生活がつらくなって、母親に手紙を書いて布団の下に置いておいたものを叔母に見られてしまいました」。

奈良を後にしたものの中途半端な自分を許せなかった。横浜で美容見習いを続けていた友人を頼り、三年間住み込みで修業した。美容師資格を取得して帰郷。二四歳の五月に糸満で美容院を開店。当時咲き誇っていた深紅の花にちなんで店名を「サツキ」と名付けた。

二五歳のとき、母の勧めで金城由憲さん（一九三九―一九七五）と結婚。糸満のタクシー運転手だった。長男（一九六三生まれ）が二歳になるまで美容院を続けたが、それから三歳下に長女（一九六六年生まれ）、二歳下にふたごの次男と三男（一九六八年生まれ）の四人の子どもに恵まれ、子育てのため美容院は閉店。

土地を買いトタン家を建てて、安定した家庭生活が整いかけた一九七四年七月、突然夫が直腸がんと診断され、発病から七カ月で逝った。三五歳の若さだった。ふたごはまだ幼稚園児だった。

節子さんは住まいで精肉鮮魚店を開いた。肉は公設市場で、魚は漁協のセリ権を所有して仕入れた。一日中、立ちっぱなしで働き、子どもたちを寝かしつけ、店を片付けると深夜だった。長男が高校生になった年、家を建て替えて、小売店だけでは子どもたちを育てられないと、併用して小さな飲食店「集い」を開店させた。みんなが集い、語らえる場所になり、多くの人びとに利用された。奥座敷は教員の昇格試験の受験勉強や商談にも利用された。この家で四人を育てた。そしてつらいとき「昔の貧しさから比べたら今の暮らしは雲の上だよ。糸満の女の意地でがんばりなさい」と励まし、支えてくれたのは母のクニさんだった。

「今は勝手気ままな食堂ですよ。お客さんの注文じゃなく私が決めた日替わり定食。みんな長いお付き合いの常連さんです。夫とはほんの一〇年くらいの生活でしたけど、三〇年分も四〇年分も濃縮した時間を過ごしたと考えるようになりました。そして、この店でたくさんの出会いができたことが宝であり、生きがいです」と節子さんは晴れやかだった。

ポナペ生まれのまたいとこ

節子さんと〝またいとこ〟に当たる大城康子さん（一九四三年生まれ）は、船大工で漁師の父、上原文吉さん（一九一六—一九九三）と母ハルさん（一九一八—一九九二）の一二人兄弟（四男八女）の三女としてポナペで生まれた。三重県を経由して家族全員で戦後の一九四六年に、奥武島に引き揚げたのは三歳のときだった。

「父は私を船に乗せて漁に連れて行ってくれました。網を使うアンブシ漁でしたから海中作業をする父に習って私は五歳ですでに泳ぎを覚えていました。父は船大工でサバニを造っていたので、終戦直後の奥武島で網業漁を始めるのも早かったのです。学校も行けず字も読めないのに船を造っている父を、子ども心にすごい人だと思っていました」と康子さんは、楽しそうに奥武島での思い出を語り始める。

活発な少女はおしゃれにも強い関心を抱くようになる。姉妹の髪を切り揃え、学芸会には同級生たちのメイク係を買って出た。シッカロールと食紅を使って化粧を施し、焼き火箸で髪を巻いてカールさせた。

島では洋服らしいものはなく、糸満の親戚から送ってもらった古着を繕って着た。それでも島全体が家族のようなもので、大人も子どもも心がつながっていて差別も侮蔑もなく、やさしさに包まれていた。分校への通学も裸足だった。高学年になり久米島本島の仲里小学校へ行くために、履かなくてはならない24センチという特大サイズの運動靴が何より苦痛だった。

「私は自分の生きてきた道を考えるとき、中学二年まで過ごした奥武島での暮らしがすべてを決定づけてきたように思う」と康子さんは語る。

奥武島の子どもたちは忙しい。毎朝、芋とカンダバー（芋の葉）を収穫して、それを焚いて豚に餌をやってから学校へ行く。「人間が食べるのも芋、豚が食べるのも芋です。ですから豚は栄養も豊富で健康そのものの食肉になりました」。

戦後は生産効率を高めるための肉骨粉などの動物性たんぱく質や抗生物質入り飼料の登場により安全性が問われるようになった。康子さんは奥武島での原初的体験こそが、生涯の仕事となった健康美容の基礎を築いたと、いま改めて確信している。

美容師の夢を実現

一家で糸満に引き揚げ、好きな道を目指したいと美容院の見習に入ったが給料はなかった。これでは母の助けにならないと、二年でやめて生地店の店員として働いた。三年を経た二〇歳の年、母の勧めで大城勝一さん（一九三五年生まれ）と見合い結婚。勝一さんは四男だったが、姑と戦争で足が不自由になっていた義兄と同居だった。結婚まもなく夫は漁師をやめて、事業としてアイスキャンデー業に転職した。商売は繁盛し忙しかった。

しかし康子さんはどうしても美容師への夢をあきらめきれなかった。当時は美容学校を出ないと免許が取れない時代になっていた。長男（一九六五年生まれ）が三歳を迎えた年、家業を手伝いながら、幼い息子を連れて那覇の美容学校へ通った。免許取得条件のインターンは、姑の協力を得て自宅向かいにある美容院を選んだ。家業のキャンデー店の配達に必要な運転免許も自動車学校に通い、一カ月で取得した。

そして糸満市西川町の埋め立て地に七坪の美容室を建てたのは本土復帰の一九七二年、二八歳だった。船大工の父の助けを借りて店舗を造り、ここからもっと、さらに成長していこうと「more」にちなんで「モア美容室」と名付けた。

小さな店は繁盛し、二人雇っても忙しかった。子どもも長女（一九六八年生まれ）、次男（一九七二年生まれ）、三男（一九七五年生まれ）が加わり四人になったが、康子さんは精力的に美容研究会に出かけた。「子どもたちにはさびしい思いをさせましたが、私が目指したのは健康志向の美容です。

医学も生理学も学ばなければなりません。年間五回は上京していました。夫も子どもたちも家族全員で私の夢を支えてくれました」。

そして店も一年後に一三坪、二年後には一五坪と拡張していった。一九八〇年には豊見城店、その五年後には那覇店もオープンさせた。一九八八年、事業家の夫、勝一さんは発展が見込まれた糸満市の振興埋立地西崎に太一ビルを竣工。その一階にモア美容室を開き、各店を統合させた。七坪から始めて一五年を経ていた。スタッフも五人の陣営であたった。しかし康子さんの健康志向はますます強められていった。

「発展だけを目的にしてると必ず破綻がくる。そう考えて美容院を閉じ、今は健康に関する仕事だけに向き合っているんです」。

二〇一九年三月、仕事上のパートナーでもあった夫の勝一さんが八五歳の生涯を閉じた。自分に残されたのはこれまで学んできた健康美容をどう活かしていくべきか、心やからだに悩みをもつ人びとに役立つカウンセリングの道を模索している。

インドネシアの異母兄弟

インドネシアからの訪問者

「お父さん、インドネシアで生まれたあなたの息子のマリンカです。やっとお父さんの故郷を訪れることができました」。インドネシアのスラウェシ島マナドからやってきたベンジェ・マリンカさん（一九四四年生まれ）は、糸満市字糸満の屋号「四男新上ン当（ヨナンミーウィーントー）」の当主、玉城盛美（たましろせいび）さん（一九〇四—一九八五）の仏壇の前で手を合わせていた。一九九三年五月末の蒸し暑い初夏のことだった。

周りには盛美さんの妻、ユリ子さん（一九〇八年生まれ）と八人の兄弟たちが同席し、突然訪れた異母兄弟の出現に戸惑いながら、その姿を見つめていた。すでに盛美さんが亡くなって八年を経ていた。翌日の地元紙は「インドネシアで生き別れ—四〇数年ぶり糸満の仏壇で対面」（『沖縄タイムス』一九九三年五月二二日）と報じた。記事の内容はこうである。戦前インドネシアに渡って漁業に従事していた盛美さんは家族を形成した。第二次世界大戦によって現地招集を受け、妻子を糸満にかえした後、現地の学校で日本語を教えていた。そのときに知り合ったインドネシア女性のアグスタ・インタマさんとの間に生まれたのがマリンカさん。インドネシア貨物船「フォーチュン2」（四〇〇トン、乗組員一〇人）で那覇に着いた船長のマリンカさんが、代理店の琉球観光産業外航課を通して、玉城一家に連絡をしてきて、家族に温かく迎えられたと記す。

「それはやっぱり戸惑いました」と、インドネシアで生まれた玉城家の次女、手登根末子さん（一九三五年生まれ）。「でも線香を上げたいという気持ちは十分くみ取りました。母のユリ子は、やや認知症気味でしたし、マリンカに日本名の盛次という名前まで付けながら何もできなかった父の償いをしようと兄弟たちを説得しました」。

兄弟たちも賛同し、すし屋をしている六男の盛栄さんが刺身などのごちそうを準備した。親戚中で接待し、餞別もできる限りの額を包み、マリンカさんは感謝の言葉を残して帰国した。しかし、その一年後、沖縄で仕事がしたいと手紙で伝えてきた。母は認知症が進んで老人ホームに預けていたので、両親の家を提供した。日本語も話せないので、末子さんの長女姉、清子さんの長男が営んでいる解体会社で引き受けてもらった。一年後にはインドネシアより妻を呼び寄せ、同じ仕事に就いた。二人は、散髪も衣類も切り詰めて残してきた四人の子どもたちに送金して学校も出した。末子さんも親戚をまわって古着を提供してもらい、協力を惜しまなかった。その後、夫妻はさらなる収入増を求めてインドネシアの友人を頼り、本土へ働きに出た。さらに玉城兄弟が証明して、マリンカさんは日本の永住権もとった。

そして母ユリ子さんは、マリンカさん一家との交流を知ることなく、二〇〇九年、一〇一歳の生涯を閉じた。

他方、マリンカさん夫妻は、成長した長男と次男を本土に呼び寄せ、夫妻は帰国した。体調が悪かったのだろうか、マリンカさんは二〇一四年に死去。妻のインタマさんから電話で知らされた。末子さんは加齢や持病を抱える兄弟には声をかけず、自分だけで香典を送り、心の整理をつけた。

インドネシアのスラウェシ島マナドから訪れた異母兄弟のベンジェ・マリンカさん（中央）を迎え、歓待した玉城一家（1993年5月）（写真提供：手登根末子）

旧セレベス島の糸満漁民

時代はさかのぼる。玉城盛美さんは、大正期の一九二五年四月五日に旅券が付与され、蘭領東印度セレベス島（現インドネシアのスラウェシ島＝以下、資料名を含め植民地時代の呼称を使用する）に渡り、兄の徳太郎さんが主宰する「玉城徳太郎組」に参加、漁業に従事した。満二〇歳のときだった。男七人、女二人の九人兄弟のうち、次男と五男は後継ぎのいない親戚の養子になり、健康に恵まれなかった三男をのぞく長男徳太郎（一八九八年生まれ）、四男盛美（一九〇四年生まれ）、六男盛六（一九一〇生まれ）、七男盛七郎（一九一五年生まれ）の四兄弟が組んで操業した。

日本は日中戦争から第二次世界大戦にかけて、「南へ！南へ！」[注44]と、対外発展を目指してきた。一九三六年八月七日の広田弘毅内閣の五相会議で、南方海洋への発展を掲げた「国策の基準」が決定。大綱にはこうある。「南方海洋殊ニ外南洋方面ニ対シ我民族的経済的発展を策シ努メテ他国ニ対スル刺激ヲ避ケツツ…国力ノ充実強化ヲ期ス」[注45]と、海軍の南進論が国策となったのである。

糸満の漁民たちは、国策としての南進政策に組み込まれた海外出漁促進が拍車をかけるなかで、南方の新天地に夢を託して海を渡っていった。

玉城盛美さんたち、糸満の漁民が出漁し、移住して家族を形成したセレベス島とはどんな国であったのだろうか。植民地行政を統括した拓務省拓務局の調査（一九三一年三月から五月）『「セレベス」島事情』の、水産業に関する同報告を要約すると、[注46]南セレベスのマカッサ（マカッサル＝港湾都市）付近はサンゴ礁が多く、小島が羅列して漁場に適していること、現在この地方で漁業を営んでいるのは、沖縄県糸満町の玉城牛太郎が主宰する玉城組があること、玉城組は大正一五年、沖縄よりマカッサ（ル）に進出し、はじめは高瀬貝の採集を目的としていたが、漁獲物が少ないので現在は、組員四〇名、発動機船三隻を擁して、追込網によるカツオ漁業に従事していると記している。

そして、蘭領政府の直轄地であったミナハサ地方に居住するマレー系民族である「ミナハサ人」に関して、拓務局は「面貌、風俗日本人ニ酷似シ…日本人ノ子孫ナリト自認シテ日本人ニ対シテハ特ニ親密ナル態度ヲ示スヲ常トス」[注47]と記述する。入植を促進する意図も感じられるが、詳細な調査が報告されている。

そうしたセレベス島で、盛美さん兄弟の操業船と思われる「玉城徳太郎組」の漁業状況を一九三一年六月の拓務省拓務局の調査(注48)にみることができる。「セレベス島北部にあるサンギル諸島（サンギへ諸島）の最北端、タラオル島（タラウド諸島）を占拠し、玉城徳太郎と親戚八名で組を結成している。資本金五〇〇〇盾（盾は蘭印に流通していたオランダの通貨単位ギルダー、現ルピア）で小規模だが、歩合制というより頭分けである。一カ月の各人の所得は三〇盾内外。漁獲物は塩魚を製造販売し、重量は年収二五〇〇貫、価格約三〇盾。魚類は赤室、鯖、鰺、飛魚、小鯛、その他種々珊瑚礁上の雑多なる魚族である。漁船は現地人の造るボート形一隻、カヌー形三隻を使用。漁具は現地人の網、漁具および自家製を取り混ぜている。漁法は釣りおよび地曳、曳廻し網など小規模。「営業成績ハ着々成功ニ近カヅキツツアリ」としている。

結婚そして戦争へ

二〇歳でセレベス島へ渡った盛美さんは五年後、糸満に一時帰国、ユリ子さんと結婚。一年後に再びセレベス島へ。三年後の一九三二年には二歳になった長男の盛一さん（一九二九年生まれ）とユリ子さんを呼び寄せた。しかしユリ子さんの母は、出港寸前にお土産を買いに行こうと盛一さんを連れ出して、乗船させなかったのだという。一家で移住していく当時の糸満では、血縁が途絶えることを恐れて、長男孫を残して欲しいと懇願するのは珍しい話ではなかった。しかしユリ子さんはショックでうつ病を発症し、煙草を大量に吸って紛らわせるようになった。第二子を妊娠したが母体が衰弱していて発育は不可能だった。糸満に残した長男、盛一さんが一八歳になったとき、なんで自分を置きざりにしたかと問い詰められたこともあった。

悲しみを抱えながらも、ユリ子さんは、次第に健康を取り戻し、セレベス島で四人の子どもに恵まれた。在メナド領事の証明書によれば、原住地は「蘭領東印度セレベス島メナド ビートン（現マナド・ビトゥン）」だ。長女清子（一九三三年生まれ）、次女末子（一九三五年生まれ）、次男盛順（一九三八年生まれ）、三男盛裕（一九四〇年生まれ）の四人がセレベス島で生まれた。末子さんは、沖縄に引き揚げる七歳まで過ごした懐かしい土地で、わずかだが町の雰囲気は記憶に残っている。コーヒーショップのそばで遊んでいて、店の人が窓から捨てた熱いコーヒーかすが、腕に当たって軽いやけどを負ったことも懐かしい。都会的な街の様子が、まるで映画の中のワンシーンのように記憶に残っている。

第二次世界大戦初期の一九四〇年五月、ドイツ軍がオランダへ侵攻した日から三カ月経った真夏、蘭印諸島の視察を命じられた読売新聞社特派員の渋川環樹記者が書いた『カメラとペン 蘭印踏破行』（注49）によると、末子さんが暮らしたビートン（ビトゥン）は、邦人が建設した町だという。一〇年前（一九二九年）、大岩漁業（大岩勇社長）が、この地に漁場を開いたころは戸数わずか八戸。現在では戸数四〇〇、人口三五〇〇と飛躍的に増加。

「今では二百名の邦人が六隻の発動機船に日の丸の旗を掲げ、鰹・鮪を追って一日平均五千尾という蘭印一の漁獲高を上げ、年収益百万円に達している」と記す。

しかし戦局は迫りつつあった。一九四〇年九月二七日には日本が日独伊三国同盟条約に調印。一九四二年二月、沖縄漁民が操業する東インドを占領した日本は全域を軍政下に置いた。石油をはじめとする天然資源確保のため「大東亜政略指導大綱」(注50)にもとづきマライ、スマトラ、ジャワ、ボルネオ、セレベスは大日本帝国領土とすることが決定された。同年一一月には大東亜省が設置され、日本は大東亜共栄圏への夢を追うことになる。その標的とされたのが沖縄の漁民であった。東南アジアは「海の生命線」「南方発展の前進基地」として、国防国家建設に重要な地であることが強調されていく。ついに戦争に突入した蘭印では、布告第一号「軍政施行に関する件」第五条で「占領地における通貨は盾貨及盾表示軍票とす」と、盾（ギルダー）の日本軍票が発行された。

引き揚げ後の遺児との秘話

太平洋戦争に突入した一九四一年一二月、老人と婦女子は引き揚げ命令を受け、約一五〇人が蘭印の進駐作戦委託要員として徴用令状を受け、参謀本部に集合を命じられた。(注51)清子が数え年九歳、末子が七歳、盛順が四歳、盛祐が二歳だった。父を残して母子は無事に沖縄に帰るが、まもなく沖縄戦に遭遇。父方の祖父が国頭の宜野座村松田で漁業をしていたので一家で疎開した。

戦争が終わって疎開先から糸満に戻るが、父の盛美さんの存在は終戦後もわからなかった。日本軍の軍属、現地人の日本語教師として徴用された盛美さんが帰還したのは戦後二年を経ていた。すべてを失った盛美さんだったが、セレベス島で鍛えた海人としての腕を認められ、糸満の伝統漁法の一つである「トゥブウ網（トビウオの追込網）」の「セキニン」の役職を担った。資金を稼ぎ出し自前のサバニを所有した独立後はイカ釣りに従事した。

家族も増えた。一九四八年に四男、一九五〇年には五男と六男の双子に恵まれ、一家は平安な日々を取り戻しているかに見えた。しかし、妙な噂話が妻のユリ子さんを苦しめた。セレベス島から帰還した海人たちには周知の事実だったらしく、「ヤマーグヮ」ということばが耳に入るようになる。沖縄方言で私生児という意味だ。盛美さんとセレベスの教え子との間に子どもがいるというのだ。

「母はショックだったはずです。父に愚痴をこぼしていたのでしょう。普段は無口な父でしたけど、お酒を飲むと少し強気になって、大きな声を出して言い合っていました。自慢の父だっただけに、私も子ども心に傷つきました」と、末子さんは当時の胸の内を明かす。

間もなく事実として家族も知ることになる。一九八〇年のことだった。マリンカさんが運搬船の仕事で八重山のドックに入ったとき、糸満の漁師で玉城盛美という人を探したいと地元紙の沖縄タイムスに問い合わせたのだ。さっそく記者は糸満漁業協同組合に確認し、事実が明らかになった。以来、父子は密かに文通を始めるが、家族は誰も知らなかった。盛美さんの死後、交換していた手紙や写真が発見された。マリンカさん一家の写真や二〇・九・八〇の日付で、ベンジェ・マリンカさん宛てのエアメールの封筒が残されていた。一九八〇年当時の写真交換とみられる。盛美さんの写真の裏には、「ひかり写真館、七十七才」と記入されている。

人に頼んで英文の手紙を代筆してもらってのやり取りの中で、盛美さんは胃がんに侵される。貨物船の仕事で沖縄に入港したときは会おうという約束があったのだろうか。末子さんと弟の妻が付き添って入院するとき、盛美さんは「自分は入院しなければならないので、マリンカに沖縄には来ないように、英文の代筆を依頼して伝えて欲しい」と頼んだという。病院へ向かう車の中で「仕方ないさね、入院しに行く身だからよ」と、力なくつぶやいた父の姿が末子さんの胸を締め付けた。

そして父、盛美さんはインドネシアに残した息子に会うことなく、一九八五年八一歳で逝った。父の償いとして末子さんが接した義弟マリンカさんもいまはいない。彼方の国で二人は出会うことができたのだろうか―と沖縄の異母兄弟たちは、かつての日々を思い返している。

〈第一章 注〉

1 杉本信夫採譜による「シンガポールグヮー」糸満市史編集委員会編『糸満市史 資料編13 村落資料 旧糸満町編』糸満市役所、二〇一六年、三一三〜三一六頁。

2 『国頭村海外移民史』資料編、国頭村役場、一九九二年、三一頁。

3 首里。那覇方言ではアミアチネーと呼称されるが、字糸満では「カ行音」で発音されるので「カミアキネー」である。本書では糸満方言に従って表記する。

4 糸満市史編集委員会編『糸満市史 資料篇7 戦時資料 下巻 戦時記録・体験談』糸満市役所、一九九八年、一一六頁。

5 同右、四五頁。

6 知念村史編集委員会編『知念村史 第三巻 戦争体験記』知念村役場、一九九四年、三一二〜三一三頁。ちなみに「下茂田」は現在「下田」と表記され、行政区としては仲村渠の一区に含まれるヤードゥイ集落。

7 南城市史編集委員会編『南城市史 総合版(通史)』南城市教育委員会、二〇一〇年、三六〇頁。一九二二年に百名から分離して百名2区になった。

8 南城市立百名小学校ホームページ「学校の沿革概要」より。

9 崎原恒新「交通・運輸・通信・交易・出稼ぎ」糸満漁業民俗資料緊急調査『糸満の民俗』那覇出版社、一九七四年、四三頁。

10 『アメリカの沖縄統治関係法規総覧Ⅳ』月刊沖縄社、三九三頁。原本は『軍政府指令/Military Government Directive 一九四七年第〇〇一号〜第〇五五号』資料コードRDAP〇〇〇〇五)沖縄県公文書館。

11 文教局研究調査課編『琉球資料』(第四集)琉球政府文教局、一九五九年。〈復刻〉那覇出版、一九八八年、一二八頁。

12 安里延『日本南方発展史—沖縄海洋発展史』三省堂、一九四一年、三七四頁。及び『大阪朝日新聞』(一九三九・三・九)。

13 武久伊作「比律賓に於ける水産業」『南洋水産』六四号、社団法人南洋水産協会、一九四〇年九月、九頁。

14　渡邊東雄『南方水産業』中興館、一九四二年、一四七頁。及び同右、武久伊作「比律賓に於ける水産業」『南洋水産』第七〇号、一八頁。
15　全日本海員組合『戦没した船と海員の資料館』のＨＰによる。
16　糸満市史編集委員会編『糸満市史 資料編7 戦時資料 上巻』糸満市役所、二〇〇三年、三六三頁。
17　『知名町奄美群島日本復帰五〇周年記念誌』記念事業実行委員会、二〇〇五年、二四四頁。
18　縮刷版『うるま新報』（第二巻）不二出版、一九九九年。以下『うるま新報』の記事は本書による。
19　糸満市史編集室による新聞資料からの集成資料による。
20　糸満市史編集委員会編『糸満市史 資料編12 民俗資料』一九九一年、糸満市役所、五二〜五三頁。
21　『糸満漁民の展開と港川〜海人の歴史と文化〜』具志頭村立歴史民俗資料館、二〇〇三年、七八〜七九頁。
22　上田不二夫『沖縄の海人 糸満漁民の歴史と生活』沖縄タイムス社、一九九一年、四三〜四五頁。
23　「移住民募集」は具志頭村に限ったものではなかった。具志川村でも首里、那覇、久米の三都市に広告を出して移住民を募集した例が記されている（伊波普猷『琉球古今記』『伊波普猷全集 第七巻』平凡社、一九七五年、二七〇頁）。
24　具志頭村史編集委員会編『具志頭村史第五巻（村落編二）具志頭村、二〇〇五年、四〜六頁。
25　長嶺操「糸満漁民の分村と墓―八重瀬町字港川の場合―」『沖縄民俗研究』第三〇号、沖縄民俗研究会、二〇一二年三月、八頁。
26　前掲、『具志頭村史第五巻（村落編二）』六三五〜六三七頁。なお古くは糸満を「イクマン」といった。糸満の分村である港川では現在でも使われていることばであり、とくに「イクマンの出身」であることを誇りにしている高齢者は、一般に使用しているという。
27　国際連盟規約では委任統治がＡＢＣの三段階に分類され、南洋群島に適用されたＣ式統治は住民の利益を損なわないための一定の保障を与えることを要するとされつつも、受任国の構成部分として取り扱うことが認められていた。しかし現地住民に対して日本国籍を与えることは許されず、行政上「島民」と呼称された。委任統治領の完全併合を阻止した条項。
28 『南洋廳施政十年史』南洋廳、一九三二年、三五〜三八頁。
29 拓夢大臣大谷尊由「海洋漁業の振興を策すべし」『海洋漁業』一九三八年三月号（第三巻第三号）、海洋漁業振興協会、一四〜一五頁。
30 石川友紀「海外移民の展開」『沖縄県史 第七巻 各論編六 移民』沖縄県、一九七四年、三八八頁。
31 前掲、『琉球史料 第四集 社会編一〈復刻〉』一二八頁。
32 具志川市史編さん委員会編『具志川市史 第四巻 移民・出稼ぎ 証言編』具志川市教育委員会、二〇〇二年、七〇五頁、七一八頁。
33 岡島清「トラック島鰹漁業の概況（一）」『南洋水産』第四号、南洋水産協会、一九三五年、四三〜四四頁。
34 「南太平洋海域に於ける沖縄人漁業実態調査」『沖縄県農林水産行政史第十八巻（水産業資料Ⅱ）』財団法人農林統計協会、一九八五年、五二九頁。
35 今泉由美子「南洋群島」『具志川市史 第四巻 移民・出稼ぎ 論考編』具志川市教育委員会、二〇〇二年、七四七頁。
36 『地方自治七周年記念誌』沖縄市町村長会、一九五五年、四三一頁。
37 同右、四九頁
38 阿部善朗『艦爆隊長の戦訓―体験的新説太平洋海空戦』光人社、一九九七年、一八四〜一九四頁。
39 「南洋群島ロタ島パガン島」前掲、『具志川市史 第四巻 移民・出稼ぎ・証言編』六八五〜七一八頁。
40 前掲、今泉由美子「南洋群島」七四八頁。
41 『サイパン・テニアン・ロタ写真集 戦火に消えし先人の証し』NTC南洋群島写真刊行委員会、一九八四年、一頁。
42 防衛庁防衛研究所戦史室編『戦史叢書 沖縄方面陸軍作戦』朝雲新聞社、一九六八年、一九頁。同『戦史叢書 中部太平洋陸軍作戦〈1〉マリアナ玉砕まで』一九六七年、二七一〜二七二頁。
43 仲里村誌編集委員会編『仲里村誌』仲里村役場、一九七五年、三三五〜三三六頁（年表）、六五〜六八頁。

44 竹越與三郎『南国記』日本評論社、一九四二年、一四一〜一四九頁。
45 外務省編纂『日本外交年表竝主要文書』原書房、一九九六年、三三四頁。
46 拓務省拓務局『「セレベス」島事情』昭和七年七月、『海外拓殖調査資料第十八輯』一四一〜一四二頁。
47 同右、二〇頁。
48 拓務省拓務局「南洋ニ於ケル水産業調査書」昭和六年六月『沖縄県農林水産行政史』第一巻（水産業資料一）財団法人農林統計協会、一九八三年、一三三頁。
49 渋川環樹『カメラとペン蘭印踏破行』有光社、一九四一年、三二〇〜三二一頁。
50 防衛庁防衛研究所戦史部編『史料集 南方の軍政』朝雲新聞社、一九八五年、四九頁。
51『ジャガタラ閑話』ジャガタラ友の会、一九七八年、一八七頁。

第二章　漁村集落と女性の経済活動

現役漁師を退いた後も引退仲間とアンブシを営んでいた上原皓吉さん（1919-1994）。（1986 年）

漁村糸満の形成と御願の誕生

伝統的まちなみとしてのジョーグヮー（門小）

人びとは糸満漁港沿いの沿岸道路を「ヤッカラー通り」と呼ぶ。「海ヤカラ」つまり海の勇者、あるいは海に優れた男たちの住む通りを意味する。その景観は県道二五六号（旧国道三三一号）に向けて　密集した民家をはさんで九本の路地が走る。その路地ごとに海面に張り出したサバニ用の船揚げ場（ヒラグヮー）がシンメトリックに並んでいた。ニシ（北）(注1)の白銀堂前の門から鍛冶屋門まで、通りには有力者と思われる屋号や地区の特色によって門名が付けられた「門小（ジョーグヮー）」である（図参照）。

門とは伊波普猷によれば、もともとは原野を意味し、「道路→門前の造り→門」の意に縮用されたものだとする。(注2) ちなみに白銀堂前のイービンメーンジョー（威部（イベ）前の門）は戦後の公用水面埋立事業により形成されたもので、船揚げ場としての機能は所有していない。

周囲を海に囲まれ、隆起サンゴ礁の丘陵地に形成された古層の糸満は、埋め立てによって発展してきた漁村である。海中に突き出したその台地の突端に、魚の寄り集まる「ヨリアゲの嶽、神名シロカネの御イベ」(注3)（白銀堂）を祀り、発祥の地とされる集落「上之平（うえのひら）」の住人、八代前の勢理（シリー）（屋号）が、本格的に漁業を営むために浜に降りてきて、浅瀬の海を埋め立て始めた。周辺の海はいくつものサンゴ礁が連なり、漁業に適した環境が整っていた。干潮時には広大な遠浅をなし、はるか沖合まで干上がる潟原（かたばる）は、埋め立てに適した条件を備えていた。人びとは砂を浜から馬車で運び上げ、次つぎと宅地を造成し、通りを単位とする漁村集落を形成したのである。私がはじめて糸満を訪れたのは一九八四年の夏のことであった。手さぐりのような聞き取り調査の中で一つの糸口が見えたのが「ジョーグヮー」という視点であった。漁村集落形成の原点であり、精神的、物理的なあふれを受容しつつ漁民共同体として機能してきたジョーグヮーは、漁村特有の労働と祭祀を鮮明に映し出してくれた。

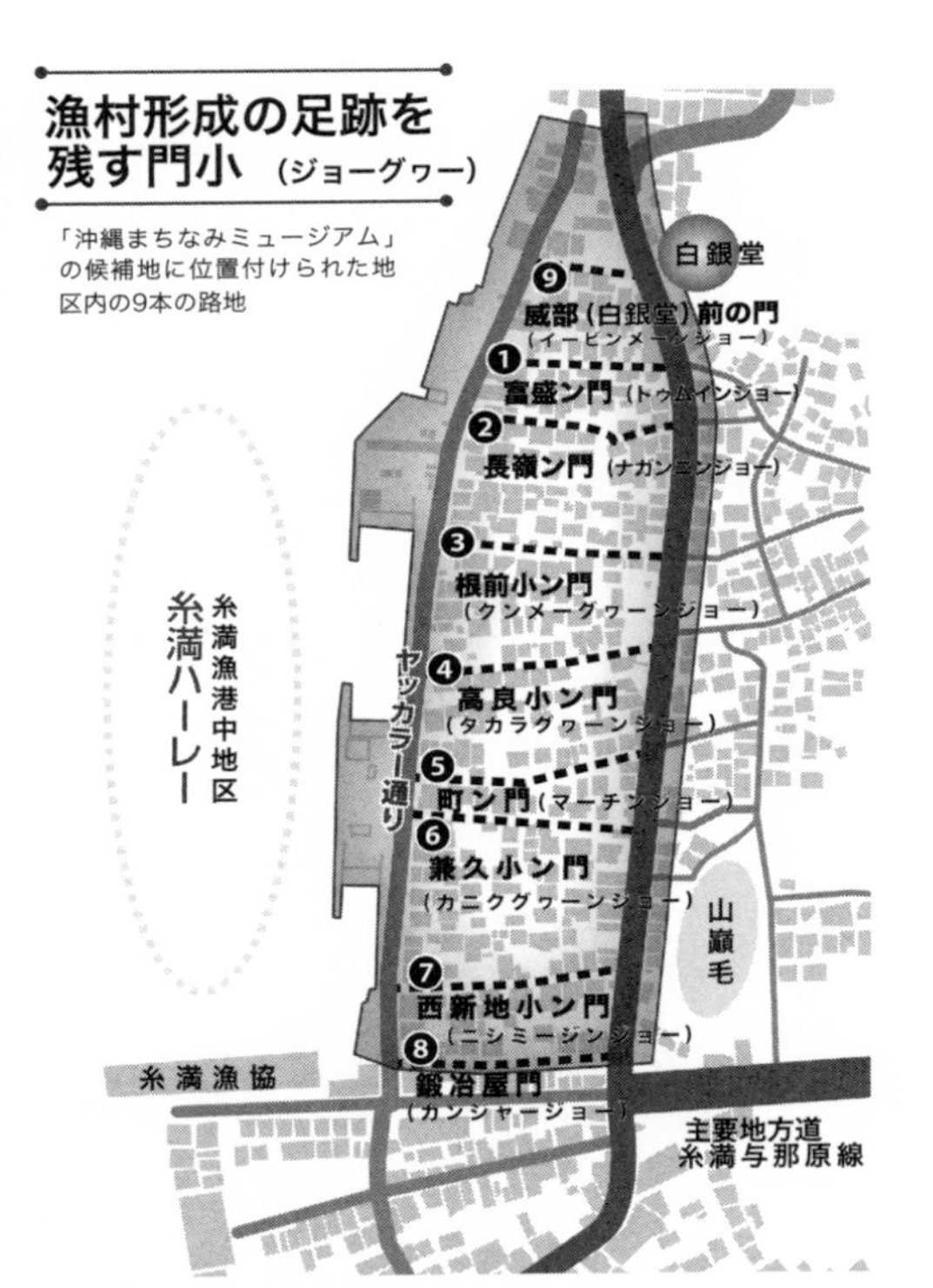

「沖縄県　土木建築部　都市計画・モノレール課　景観形成班」提供の絵図を参考に作成

このジョーグヮーに、光が当たり始めている。一九九四年一〇月「沖縄県景観形成条例」が制定され、国全体として景観形成に取り組む「景観法」を背景に、二〇一〇年三月「沖縄21世紀ビジョン」が定められ、糸満漁港から糸満ロータリーにかけての山巓毛地区が県の「沖縄まちなみミュージアム」の候補地となった。風景づくりに係る人材育成事業が実施され、住民らによってサンゴを原料にした漆喰壁に塗りなおす作業が行われた。また、市の事業として市場のあった町ン門のカー（井戸）は二〇一六年に修復工事が施された。工事上道幅が四メートル以上あり、マチ歩きガイドのルートにもなっていることから選ばれたのだ。二〇一六年度まで二四年間、西区の区長を務めてきた町ン門の大城栄子さん（一九四三年生まれ）は、県の風景づくりサポーターとしても参加しており、ジョーグヮーを文化的遺産として継承したいと強く願っている。

共同体組織とジョー御願の機能

兼城間切の一村に過ぎなかった時代の糸満は、西村、中村、新島（ミージマ）の三村に編成されていた。現在でも海の祭祀、糸満ハーレーの競漕行事は、この三村（みむら）に区分されている。西村は富盛ン門（トゥムインジョー）、長嶺ン門（ナガンニンジョー）、根前小ン門（クンメーグヮーンジョー）、高良小ン門（タカラグヮーンジョー）、町ン門（マーチンジョー）を指し、中村は兼久小門（カニクグヮーンジョー）、西新地ン門（ニシミージンジョー）、鍛冶屋門（カンジャージョー）までを範囲とし、新島はその名の通り後年成立した村であった。現行区制でいえば、西村は上之平区、西区、西川町、中村は町端区、新屋敷区、新島は前端区、南区、新島区、新川区に該当する。三村は形成過程からみても、西村が親で、中村が子ども、新島は孫にあたると認識されている。

埋め立てによる宅地造成の過程は、次のように区分することができる。上原牛蔵さん（一九〇五年生まれ）や大城マカトさん（一九一七年生まれ）など古老たちの話を総合すると、第一次造成は、まず上之平の住人が海に降りてきて、眼下に広がる海と沖合に向けて三軒分が建つほどの面積を埋め立て始める。家の北側（裏側）には、台風や季節風を防ぐための高い石垣が築かれ、結果的にこの石垣が隣接する家並みとの境界となる。その側面に排水溝が敷設され、家々の入口は海を右手にすべて南側を向く。第二次造成は、すでに建った家を背後にして、海側へと平行して拡張されていく。

第三次造成は、ふたたび最北部の起点となった数軒の家並みに接続するかたちで沖合へ向けて宅地が造られていく。その結果、規則的に間隔を開けた、櫛の歯状の宅地が海に張り出し、家並みと家並みの間は満潮時になると浅い入江となり、小さなサバニに適した自然の舟溜まりとなった。各漁家では船が流されないように、サバニを揚げるアシザ（係留設備）を造った。その舟溜まりも潮が引けるとスージグヮー（路地）となる。明治期をピークにこの八つのジョーはほぼ完成し、漁村糸満の環境としての骨格がまずつくられた。(注4)

そして、一九三五年、行政による護岸道路建設工事で、入江は埋め立てられて路地となった。以来、糸満は戦後を境に公用水面埋立事業が急ピッチで進められた。一九六八年竣工の第一次埋立て事業の「川尻地先公有水面埋立」に始まり、一九八四年竣工の第四次埋立事業（潮平地先、西崎地区・二六八ha）の広大な土地造成によって西崎町という新たな町ができ、二〇〇二年には「南浜埋立事業」によって潮崎町が誕生した。

ここでいうジョーも物理的には集落空間としての路地を指し、社会構造的には路地を媒介とした、強い共同性を背景に形成される地域共同体そのものを意味する。一筋の路地と船揚げ場を共有する漁家は、共同体組織を構成し、漁労と航海の安全を祈願する「ジョー御願（ウグワン）」を生み出した。一年の守護を願う旧二月の立御願（タティウグワン）、半年間無事に過ごせたお礼と残りの半年間の無事を祈願する旧六月の中御願（ナカウグワン）、そして締めくくりの感謝の年末御願（シリガフー）の三回である。

旧暦五月四日の糸満ハーレーと十五夜の大綱引きの二大行事はもちろん、海にちなんだ祭祀行事は各ジョーの強い共同性にもとづいて運営されていく。

兄弟集団による漁労組織

「ヒラグヮー」と呼ばれる船揚げ場は生産の場であると同時に「聖と俗」、「生と死」、「日常と非日常」の境界として意識され、間断なく繰り返される祭祀の拝所として、浜下りや浜御願の清めの場としても機能してきたのであった。

ヒラグヮーに平御香の細い煙が立ち昇り、数人の女たちが海に向かって祈りを捧げている。花米、神酒、それに重箱が二つ供えられ、海のかなたへの遥拝である。女たちの唇からもれるウチナーグチの祈願の唱和が鈍い旋律を伴って海に消える。板子一枚下は地獄、そんな危険な海で夫や息子たちが働いている。「どうぞ無難に航海させてください」。祈りは照りつける太陽の下で地平線上の聖なる異界と固く結ばれていく。

ジョー御願を最初に始めたのは、長嶺染屋(ナガンニスミヤ)の祖先だと話してくれたのは、上原健永さん（一九二七—二〇一四）だった。「私から四代上の上原亀という祖先が海からの収穫に感謝して始めたといわれています。亀という祖先は家系図によると一八〇四年から一八六六年の人ですから働き盛りの三〇歳前後と予測して一八四〇年代のことでしょうか」というのが健永さんの推測だ。

集団漁業のメンバーの中心となるのは親族であり、多くの分家を抱えることが繁栄のシンボルであった。集落が形成された当初、もっとも多くの分家活動が行われたとみられる長嶺家の場合、同じ敷地内に長男の長嶺大屋を中心として、次男の大長嶺、三男の長嶺染屋、次男の分家の長嶺、さらに新しい二軒の分家筋、西リ長嶺と前長嶺が加わり、五軒の分家が同じ屋敷内に軒を並べた。この中でも長嶺染屋は男兄弟の多い家筋で、今から四代前の五人兄弟がそろったのが一八四〇年代であり、そのころにジョー御願も行われるようになったのではないかと、健永さんは語る。

航海安全と健康を願う西新地ン門の中御願（1986年7月18日〔旧暦6月12日〕）

　つまり門中やハラという父系血縁集団の下位グループを意味する「一兄弟集団(チュチョーデー)」(注5)を形成し、「長嶺一兄弟」によって糸満漁業を繁栄させてきたと考えられる。健永さんが一九歳のとき、父忠蔵さんの言い付けで由来を書き止めたノートがある。「長嶺染屋の祖先が漁業、サガーマー（小さいトビウオの狩込網漁）を営みしとき、この御願を始めて代々当家にて行うものであり、その後各ジョーが行うようになったのであります」と記される。さらに記録には旧二月の年立願いの供え物は、カティムン重（惣菜の重箱）、洗い米、酒。一二月は年末願いで一年間の豊漁への感謝。供え物は餅（ウチャヌクと呼ばれる三段重ねの餅）か饅頭、ミバレー（身寄りのない霊に対する供え物）、酒は茶碗酒とあり、年二回の行事であった。中御願はいつの時代からかユタを通じて加えられたといわれる。

そして戦後、一九四八年旧暦一二月一四日から再開された会計ノートには、御願費用の「ヌキ賃」（集金）として各世帯から一〇円ずつ集金したことが記されており、その世帯は「上ノ手（ウィンティ）」四五戸、「南ノ手（ヘーンティ）」三七戸、「中ノ手（ナカンティ）」三九戸、「下ノ手（シムンティ）」二七戸と記録されている。「下ン手」の二七戸が富盛門通りの戸数であり、残りは上之平地区を指すもので、総勢一四八世帯の人びとが長嶺染屋に集ったことを示している。高台の古い集落、上之平に当然ジョーはなく、その多くの漁民が長嶺ン門に加わり、長嶺染屋に集ったことが明らかにされている。

ジョー御願が集落の形成過程において、漁民共同体の核として成立した信仰であることはこれまでみてきたとおりである。したがってその原初的形態は航海安全と大漁の祈願と感謝の御願で、会計をはじめすべて漁民によって営まれてきた。健永さんによれば、戦前までのジョー御願の日には大勢のウミンチュが集まり、仏壇の前で祖先と共に共食し、あるいは浜にムシロを敷いて夜遅くまで泡盛の宴が繰り広げられていたという。時代の流れの中で男たちの海外出漁を背景に、御願は留守を守る妻たちに委ねられ、住民の健康と繁栄という内容を含みつつ地域に根をおろしていった。

継承される御願の形態

現在、御願を支えてきた人びとの高齢化と後継者不足で、もはや御願が継続できないジョーグヮーもある。しかも昨今の多くは会計と運営を担う「アタイ」と呼ばれる係だけで行う。

二〇一八年度のアタイを務める鍛冶屋門の上原初美さん（一九四七年生まれ）が嫁いだ、屋号「新山戸拝見（ミーヤマテーキン）」は、アンブシ（建干網）やパンタタカー（小型追込網漁）を稼業とする伝統的な漁家であった。当主の上原皓吉さん（一九一九―一九九四）は、知りつくした糸満周辺の九六の漁場名を書き込んだ海図を作成し、フィリピンにも出漁した。私を含め多くの研究者や記者たちが教えを受けた漁業のエキスパートだった。長男は家業を継がず、その妻、初美さん自身も糸満市役所の職員だった。

しかし「仏壇を預かるのは長男嫁の務め」と語る初美さんは、ジョー御願の責任を重く受け止め、近所に住む実妹の上原ツヤ子さん（一九五〇年生まれ）と共にアタイを担当している。三人一組で五年に一度の割でまわってくるので手順に迷うことはない。ジョー御願の費用は各世帯（約三〇世帯）から年間一〇〇〇円を徴収、糸満ハーレーと十五夜は、自治会から合計六〇〇〇円の補助金が出る。巡拝する拝所は白銀堂→七竜宮→御先竜宮（ウサキ）→火の神（ヒヌカン）→祝女殿内（ヌンドゥンチ）→黄金森（クガニムイ）→銀　森（ナンジャムイ）→山巓毛（サンティンモウ）

↓山巓下のガマの拝所↓カンジャーガー↓ジョーの竜宮にこの日の御願が終了したことを報告↓最後は必ずヒラグヮー（船揚げ場）で祈るのが決まりだ。巡拝には対の瓶、盃、花米、平御香、白紙をセットした携帯用の御願用具を持って行く。供え物はカティムン重（豆腐、豚の三枚肉、かまぼこを中心に昆布、大根、ごぼうなどの煮付けを五品以上の奇数が基本。海の幸と陸の幸を盛る）と、一五個入りの餅重、くだものである。

初美さんは、時代が変わってもジョー御願は漁民だけでなく、スージグヮーの住民の繁栄と和合を祈る大切な御願だと考えている。

生活改善と「漁協女性部」のあゆみ

漁協婦人部の店

沖縄南部観光の複合施設としてにぎわう「道の駅いとまん」。その一角に糸満漁協が運営する「お魚センター」がある。早朝のセリにかけられた魚介類を中心に、加工品や総菜が人気を呼ぶ直売所だ。隣接する「JAファーマーズいとまん」「糸満市物産センター」「障害者就労支援施設イノー（焼肉ばんない）」の四施設ともに地元住民と観光客が行き交う場所になっている。

糸満漁港は沖縄県内唯一の第三種漁港（全国的に利用される漁港）であり、南方漁業への中継基地及び水産物の流通拠点漁港として施設整備が進められてきた。糸満漁協組合員は正組合員が一〇五名、准組合員一一〇名、計二一五名である（二〇二〇年三月現在）。

現在の「お魚センター」のオープンは二〇〇八年九月、施設は一一店舗により構成されている。ここにいたるには長い道のりがあった。その一端を担ったのが漁民の妻たちの活動、「漁協婦人部」（現在は女性部）の存在である。各地域の漁村には漁業者によって組織された漁業協同組合があり、略称で漁協、あるいはJF（Japan Fisheries cooperative）とも呼ばれる。その漁協事業に携わり経済を支え、連帯しながら活動する漁師の妻たちの組織が漁協女性部である。

一九九五年四月、第五次糸満市西崎埋立事業により完成した土地に約五〇坪（一六五㎡）のプレハブ造りに一〇店舗が集う「お魚センター・アンテナショップ」が建設開業された。オープンの条件として、「漁協婦人部」の出店が定められ、会員全員に呼びかけられたが、他の店と同様、自己投資による運営が基本だった。結果的に総菜店と鮮魚店（後述）が開店することになる。惣菜店は上原文子さん（一九三八年生まれ）と金城安子さん（一九三九年生まれ）が担当することになった。

「資金はもちろん自分のワタクサー（私財）から出したのよ」と安子さんは胸を張る。彼女は洋裁の仕事で稼ぎ出した資金、文子さんも五人の子どもを育てながら、座礁船の廃油処理労働などの賃金を貯めてきた私財をはたいた。ワタクサーを所持するのは、糸満アンマーの条件だ。

安子さんの夫、猛さん（一九三七―二〇一二）は真鯛、タマン、ミーバイなどの養殖を手がけており、安定した食材供給を受けられたことも追い風となった。

「私たちは魚汁というブランドを立ちあげたのよ。一日一〇〇食を売り上げたんですから、それは儲かりましたよ」と安子さん。真鯛も毎日三〇～四〇尾を必要とするので、水揚げ次第の天然物では対応できなかった。サーターアンダギーやモズク天ぷらなども販売した。

他方、文子さんは七・二七トンの漁船「常丸」で底延縄とイカ釣りを営む夫、常太郎さん（一九四〇年生まれ）を支える海人の妻としての重要な務めもあった。一九六三年生まれの長女から一九七四年生まれの三男まで、五人（女二人に男三人）の子どもたちの世話も思うに任せず、文子さんは一〇年後には、総菜店を辞めざるを得なくなった。文子さんが抜けた残りの三年間は、安子さんがパートを雇って経営を続けた。「主人の協力のおかげです。毎日、店まで魚を運び入れてくれて。糸満の男はえらいですよ」と、安子さんはいま、六年前に亡くなった夫を偲ぶ。

グルメサイトの「食べログ」で「漁協婦人部のおばちゃんたちの手作り総菜店がなくなって残念、絶品の魚汁そばが三〇〇円、魚汁定食、そば定食は五〇〇円ほどで食べられた」という書き込みがあったほどの評判を得た。

夫の魚を直売する婦人部鮮魚店

同じく漁協婦人部の店として出店したのが上原ノブエさん（一九三五年生まれ）の鮮魚店だ。当初、関係者の間では大手鮮魚店との共存は危ぶまれた。しかし夫の徳治さん（一九三五―二〇一二）がエンジン付きサバニで釣り上げたシビ（二kg未満の小型マグロ）が、そのまま店先に並ぶ新鮮さがその不安を消し飛ばし、顧客がついた。

ノブエさんは、いまは亡き徳治さんが、いつも天気予報に注意を払っていた姿を思い出す。気象庁の天気予報電話通報を確認すると、まだ夜の明けない三時には喜屋武岬沖へ向かう。一九八〇年代はじめに設置された人工の集魚装置、パヤオ（浮魚礁）周辺で漁獲するシビを満載したサバニが寄港するのは午後一時前後、「いま着いたよ」と、電話で一言。知らせを受けたノブエさんは店へ急ぎ、開店の準備をして待つ。午後二時前後には釣り上げたばかりのシビが店に並ぶ。「ことば数の少ない人でした」。しかし、ノブエさんは、徳治さんの釣り上げるシビの鮮度に手ごたえを感じていた。鮮魚店を出す前のノブエさんは、小さな雑貨店を経営しており、魚売りとしては未経験だった。収支よりまず「より新鮮な魚を食卓に届ける」ことをめざした主婦の感覚が、人気店にのし上げたのだ。

二〇〇八年九月に本格的なお魚センターが竣工すると、ノブエさんは三男の達也さん（一九六九年生まれ）を社長に、長女の宮城まゆみさん（一九六三年生まれ）の助けを借りて「上原鮮魚店」を出店、八〇歳を過ぎても店に立つことが生きがいだ。

沖縄県における最初の漁協婦人部の結成は一九七二年に伊江島漁協婦人部が設立し、三年後の一九七五年に糸満漁協婦人部が誕生した。県内では早期の結成である。その後順次各地区で婦人部が発足した。糸満の場合の重点実施事項としては、①漁協の貯蓄、保険、共済への加入促進および漁協事業への積極的参加。②生活改善、共同購入、家計簿記帳、集団検診などの生活合理化と計画化の推進。③油濁漁場の清掃、合成洗剤追放と石けん使用の普及促進などの漁場等環境の整備などが挙げられた（「糸満漁協婦人部通常総会議案」一九七八年）。

一九八五年には市内の女性団体で構成する「糸満市女性団体連絡協議会」（現・金城好子会長）が誕生し、漁協婦人部も傘下に入った。

特産品を産み出したアンマーたち

水産庁が一九五三年に立ち上げた水産業改良普及事業によって「一九六〇年度における漁家に対

する生活改善実施方針」に基づき、漁家担当の「生活改良普及員」が設置された。担当の沖縄県南部改良普及所（現・沖縄県農林水産部南部農業改良普及センター）の指導のもとで結成されたのが「糸満漁家生活改善グループ」だった。

糸満漁協婦人部（玉城トシ部長）を中心に、生活改善運動の一環として毎月、水産加工などの学習会が開かれてきた。当時糸満漁協ではパヤオ・曳縄漁によるシビが周年漁獲されており、そのシビを原料にした南蛮漬けが開発された。角切りにして油で揚げ、しょうゆ、砂糖、みりん、泡盛、とうがらしのつけ汁に浸したものだった。婦人部は糸満の洞窟に住みついた異人と糸満乙女の恋の伝説の舞台となったドンドンガマにちなんで「ドンドン漬け」と名付け、さらに「ニライカナイからの贈り物」というキャッチフレーズを考案し、カイワレ大根の盛り合わせがベストなこと、沖縄そばの具に最適であることを書き添えたチラシまで作成した。

その「ドンドン漬け」は、大きな夢を託され、糸満市の特産物第一号として、将来は本土出荷も視野に入れた販売計画が進められることになる。販売元として那覇市の新興物産による提携が決まった。糸満アンマーたちは発売日に合わせ、一日単位の生産量を一〇〇kgと目標を定めた。正味一〇〇g入りのビニールパック詰めの価格は一パック三〇〇円に決まった。

計画通り一九八九年一月二七日から、南部三店舗で展示即売をするのを皮切りに本格的に売り出されることになった。販売初日には、当時の上原宣成糸満市長も応援に駆けつけ、市としても全面的にバックアップしていることを印象づけた。県内マスコミにも大きく取り上げられ、行政と民間企業が提携している点に、県内水産関係者から関心が寄せられた。

沖縄県漁協婦人部連合会

沖縄各地域に誕生した婦人部の連帯と組織の強化が求められ、一九七七年四月、七つの女性部、会員四三四人で「沖縄県漁協婦人部連合会」が結成された。その後、全国的な潮流に添い二〇〇三年に婦人部は女性部に名称変更、略称「ＪＦ沖縄女性連」。設立五年後の一九八二年には一一女性部五六一人を数えるまでになった。

二〇〇五年から開催されている「農林水産フェアおきなわ」での、各女性部の地域特産加工品などの即売会は、「おきなわ花と食のフェスティバル」として現在も続いている。(注6) ＪＦ沖縄女性連の新立弘子会長は、地元うるま市与那城漁協女性部部長でもあり、漁民でもある肝っ玉母さんだ。いち早く、ミーバイ、タマン、真鯛、海ぶどう、モズクなどの養殖業に転換、自ら地元与那城で「新立鮮魚卸小売商」を経営する。

連帯する広域的な地域ブロック「九州山口地区」（福岡県、佐賀県、長崎県、熊本県、大分県、宮崎県、鹿児島県、沖縄県、山口県）の九県、略称「九山（きゅうやま）地区」は、沖縄県にとって、重要な連携地区であり、年に一度、九県持ち回りで大会が開かれている。

二〇一一年六月は、沖縄県ＪＦ女性連が二度目の幹事県に当たっていた。しかし直前の三月、東日本大震災が発生。会長は各県に特産物の持ち寄りを呼びかけ、定例の大会を義援金フェアに変更した。県漁連にマグロ一本の提供を依頼、五〇キロ大のマグロが、会場に運び込まれた。新立会長は大衆の前でダイナミックな解体ショーを披露し、義援金を募った。

「東日本大震災被災地への支援活動」は、都道府県の漁協女性部連絡会議において第一のスローガンとなり、海浜清掃や植樹など「浜の環境保全」へと広まっていった。(注7) しかし、高齢化に伴う会員の激減によって、二〇一七年四月一日現在の沖縄県漁協女性部連合会の部数は一六、部員数は一一五人、全国で見ると漁協女性部は六七〇部、部員数三万五九六〇人と減少している。(注8) 全国漁協女性部連絡協議会は、二〇一七年一月、「第一回ＪＦ全国女性連フレッシュ・ミズ部会」(注9) を開催。同世代の若手女性部員が参加しやすい活動のあり方を模索し、若いエネルギーに期待した。

苦難の時代を生き、自立の道を築いてきた漁協女性部の活動と歩みを学び、継承し、さらなる活性化を進めるのは若い世代の義務でもある。糸満漁協女性部（久高恵部長）の部員は現在五人だが、多忙な中でも浜の公設トイレ清掃などを続けながら活動を続けている。

漁家に生まれて

「あんまー魚市場」の共同出店

旧正月を迎えた二〇一九年二月五日の早朝、海人の町糸満漁港では、漁船に船名や「祝大漁」などの文字や日の出の絵柄が描かれた大漁旗が掲げられ、一年の豊漁と航海安全が願われた。色鮮やかな旗やのぼりが風音を立ててはためく漁港の向かい側には「あんまー魚市場」の看板が見える。「ハマ売り」と呼ばれる個人売りのアンマーたちが共同で始めた魚市場である。冷蔵ケースの中はタマンやミーバイ、イラブチャー、グルクンなど色とりどりの沖縄の魚が目を引く。ピンクの胸当て防水エプロンを付けた大城清子さん（一九四四年生まれ）が忙しく立ち働いていた。四・八kgのアカマチを刺身用と汁もの用の骨付きアラに手際よくさばいていく。なかでもアカジンミーバイは清子さんの主力商品。刺身、煮つけ、バター焼きなんにでも対応できる高級魚だ。「忙しいのは旧正月くらいよ」と笑い飛ばしながら、手を休める暇もない。店を立ち上げた二五年前は、三五kg前後のキハダマグロや巨大なセーイカ（そでぃか）も店内でさばき販売した。

清子さんは、夫の大城武二さん（一九三九―二〇〇三）が、捕獲してくる魚を「マチグヮー」と

呼ばれる糸満の公設市場の周辺で路上販売していた。セリに出したら収益が出ないためだ。当時は小規模な漁業で夫が捕ってきた魚をたらいに入れて市場周辺の路上販売は、新鮮さと安さが人気を呼んで、顧客がつき、常時、一二、三人のハマ売りアンマーたちがいた。

　ところが一九七二年の本土復帰以降、路上販売が厳しく取り締まりを受けるようになる。港川の「魚安市場」（前出）と同様に、「食品衛生法」による魚介類の行商取り締まりだ。加えて道路交通法七六条による禁止行為とされ、一九九〇年代に入ると、商店をもたない女性たちは、連日保健所や警察から厳しい追い立てを受けるようになった。

　それなら公設市場に加えてほしいと役所に掛け合っても事態は進展せず、自己資金を出し合い、表通りに面した現在の個人所有店舗を借り受けた。有志七人の女性たちが店内整備と冷凍冷蔵施設を完備して「あんまー魚市場」を開店させたのは一九九三年一一月のことだった。彼女たちは蓄積した夫婦別財のワタクサーをはたき、運転資金のために高額な模合[注10]も運用した。胸を張って「あんまー魚市場」と名付けた。

あんまー魚市場を個人資金で開店させた7人の女性の中の1人である大城清子さん（2017年）

　水道、電気工事などの整備費用は七人で平

等に分担、うち二人は単独の店舗をもち、清子さんを含めた五人は共同で一店舗を運営した。清子さんは大きな魚やイカ類をさばく鮮魚類の処理担当、仲買人の登録証を持つ二人が買い付けや販売などを担当し、収益は五人で等分に配分した。

しかし他の多くのハマ売りは相変わらず保健所や警察に追われ続けていた。七人は当初からの計画通り店舗をもたない仲間たちのために、フリー売り場を特設したのだ。夫の魚を商う小規模な魚売りに必要なのは数時間。午前中の人もいれば、午後に水揚げする魚を売る人もいる。実費の使用代だけでみんなが利用できるフリーコーナーの発案は、アンマーたちの仲間意識が生んだ取り締まりへの対抗策であった。

しかしその賑わいも数年後には一変する。大規模埋立事業によって形成された新市街地にかつて存在した公設施設の多くが移転した。糸満漁港中地区セリ市場は一九九七年西崎へ。糸満市役所は二〇〇二年に潮崎に新庁舎を建設し、診療所も移転した。通院の帰りや市役所で用事を済ませた帰りにマチグヮーで買い物をしていく習慣とライフスタイルの動線がくずれてしまったのだ。なによりマチグヮーはお年寄りの集いの場でもあった。マグロの刺身はどの店、豆腐、かまぼこ、もやしはだれの店と顧客と売り手が密接なつながりを持ち、ユンタク（おしゃべり）を楽しんでいく。お年寄りには娘や孫も付いていてくる。付き添う家族にも「ついで買い」をしてもらい売り上げアップにつながった。加えてその足を奪ったのが、福祉医療施設によるデイケアサービスの玄関から玄関へという送迎システムだと、清子さんは感じている。

「年寄りはいったん家に帰ったらもう出てはこられませんよ。顔見知りのおばあたちが元気にしているかどうか、いまではその様子さえわからない」と清子さんは嘆く。あんまー魚市場ができて二五年、開店当初からすれば顧客も減り、五人の仲間は二人になり共同経営を解消して個人経営になった。五人の子ども（三男二女）と一三人の孫、二人のひ孫に恵まれる清子さんだが、まだ引退は考えていない。「いまは雀の涙の年金生活。ボケ防止で遊びに来るようなもんですよ。でもね、やりかけたことは最後までやらんとね」と、清子さんは明るく笑う。

そして糸満市も、漁業の町の歴史と文化の保全などの推進事業に取り組んできた。漁労文化の中心地であった字糸満地区の地域再生計画の一環として、老朽化した糸満市公設市場の跡地に二〇二〇年七月、新しい商業施設「糸満市場（いちまんまちぐゎ～）　いとま～る」がオープンした。地元民だけでなく観光客も伝統的な地域の魅力を体感できる施設整備として、延べ床面積約一三八〇㎡、駐車台数五七という規模で、集客に結び付けるためのイベント広場が設けられた（糸満市経済部商工水産課）。「あんまー魚市場」の横筋道を入った一画であり、その入り口で商う清子さんたちの店舗への相乗効果が考えられ、かつての賑わいがもどることを地域の人びとは願っている。

伝統漁法アンブシを継承する漁家

大城清子さんの生家は字糸満の町端区でアンブシとパンタタカーを営む、屋号「次良石垣（ジラーイシガキ）」と呼ばれる伝統的な漁家である。アンブシとは沿岸に袋網、両側に袖網を設置し、浅瀬から深みへと移動する魚類を捕獲する定置網漁業の一種だ。他方パンタタカーは、水深五メートル前後のリーフ内の浅い漁場に袋網を設置し、その両側に魚を脅すための藁を差し込んだ袖網を張り、数人の漁師が潜水して手や足で海面をパンパン叩いて袋網に魚群を追い込む。高級魚のカタカシ（ひめじ）、シロイカ（あおりいか）、エーグヮー（あいご）などが捕獲できる。いずれも潜水技法を必要とする伝統漁業だ。

祖父の代からサバニを二隻所有し、多くの雇い子を抱えた網元であった。二代目の父の上原誠章さん（一九一三―一九九七）は、八五歳の生涯を閉じるまで現役のウミンチュだった。現在は三代目にあたる、清子さんの長兄、上原誠一さん（一九三九年生れ）が、建干網や刺網漁を営んでいる。五男五女の一〇人兄弟の清子さんは三女だ。

明治生まれの清子さんの祖父母、上原次良、トク夫妻は、同居していた上之平の次兄宅から、一九三五年に町端区の現在の家を新築した。同年その漁家に、二二歳で嫁いだのが、母、マカトさん（一九一四―二〇一四）だった。戦前糸満の伝統的漁法であるアンブシやパンタタカーは、季節によって漁場を転々と移動する。糸満近海以外に沖縄本島北部の国頭郡周辺にも出漁し、借家をして伊平屋村、伊是名村、今帰仁村、宜野座村などが北部地区漁業の拠点となった。夏場はヤンバルの北部地区、冬場は糸満に帰ってくるという漁業サイクルだった。九月終わりごろから吹き始めるミーニシ（新北風）から一一月初旬までは北部漁業はできなくなるので糸満に戻り、糸満近海と東海岸が漁場となる。伊江島、勝連、川田（カータ）、平良（テーラ）、金（きん）武湾など、太平洋に面している東海岸の海は北風の時期でも操業が可能だ。そして三月から八月の夏期はヤンバル新里を拠点に北部漁場へ移動するのだ。

糸満漁民は漁をすることを「海を歩く」という。移動と定住という漁労形態を生み出した漂民であり、その「移動分散型社会」は、国家権力とは異なる流動的な自由な異文化社会を形成する。(注11) 糸満漁民が生み出す効率的で独自な漁法は、他方で出漁先の県内各地でたびたび入漁拒否に遭遇するという負の要因も含みもっていた。一九〇八年一一月には本部村漁業組合から拒否された入漁問題が「漁業者間の紛争」として当時の新聞に報じられている。(注12)

歴史的にも地先海面は各間切（古琉球時代の行政区画単位。現在の市町村に相当する）の所有とし、他村の地先海面を使用する場合は叶金（入漁料）を収める「海方切」制度の下に、他の漁業者入漁に関する決定権は地元漁協にゆだねられていた。(注13)

「次良石垣」はそうした大きなトラブルに巻き込まれることなく財をなし、初代の次良さんは北部漁業の中継地として、国頭郡本部町新里に土地と家屋を所有した。

ふなだまさま（船霊様）と「夫婦船」

実は理想的な漁家として糸満漁協で紹介を受け、私は二〇〇二年から「次良石垣」を何度か訪れ、聞き取り調査をおこなっていた。一五年を経て、その三代続く漁家が清子さんの生家であったことを知ったのだった。その年の一〇月一八日も、漁から帰った誠一さんを訪ねている。

「六月から一一月までは刺網、七月から一〇月までがアンブシです。今日は前の日に設置しておいた〈底刺し網〉で、漁場はギルマグチ[注14]（慶良間口。干瀬の切れ目で自然の水路）です。この周辺にはアンブシの袋網を設置する浅瀬もあって、よく使う漁場です」。

戦後、本土から導入された刺網は目標とする魚種が遊泳し通過する場所を遮断するように網を張り、その網目に魚の頭部を刺し込ませることによって漁獲する漁法で、底刺網は漁具の中では比較的簡単に作られ、使用できるようになった。[注15]

誠一さんは中学二年の一四歳のときに自ら学校を中退して父に弟子入りした。負けず嫌いで一本気の少年だった。追込網漁の見習いの時期も、使用人より朝早く起きて、漁具や燃料の準備をした。朝は二時ごろ漁に出て、帰りは夜一〇時過ぎる事もあり、厳しい仕事だった。見て覚えろという父から具体的に教えを受けることはなかったが、漁師としての能力はとてもかなわないと感じていた。なにより漁場の選び方とその鋭い勘には敬服していた。そして自然を相手にする限り、魚場で何が起るかわからない。前もって計器で風向きや潮の流れなどを割り出しても、必ず異変は起こる。そんな時の父の対応に、いつも息をのむ思いで多くを学んできた。

誠一さんの独立をいちばん喜んでくれたのも父だった。三〇歳の一九六九年、誠一さんはエイ子さん（一九四四年生まれ）と結婚した。小禄出身で漁家の生活を初めて体験する二五歳のエイ子さんの教育係は姑のマカトさんだ。清子さんが出店した「あんまー魚市場」のフリーコーナーで嫁と姑は売り場に立った。大きな声を出して、通りかかる客に呼びかけ、接客するのはもっぱらマカトさん。口数の少ないおとなしいエイ子さんは、黙々と魚をさばき、刺身を作るのが役割だった。夫の誠一さんも順調なスタートを切っていた。すでに所有していた「誠丸」とは別に、三五歳で「第一誠丸」を造船進水した。漁船登録票の漁業種は「定置、建干網、刺網」と記され、希望に満ちた年代だった。

少しの風邪ぐらいでは漁を休むことなく、息子の船に同乗していた父の急逝は、誠一さんにとって想像以上の痛手だった。アンブシは共同作業者が必要な漁業だ。そんな誠一さんの状況を察したエイ子さんは、自分が船に乗って夫の手助けをしたいと申し出たのだ。漁業経験のないエイ子さんの言葉に周囲は驚いた。糸満でも女性が船に乗って漁に出るケースはない。

上原誠一・エイ子夫妻：アンブシ漁の夫の船に同乗して補助する。地元で「夫婦船」と評判（2002年）

「船に宿るふなだまさまは女の神様だから、女を乗せるとやきもちを妬くといわれています。でも乗せてはいけないという決まりはない。女房が自分で行くと判断したことで、反対する理由はなかったんです。潜水作業をしているとき、エンジンを操作して手助けしてくれるのは本当に助かりました」。

結婚したての旧暦三月三日の浜下りの日、エイ子さんは親戚の女性たちと一緒に夫の船で慶良間諸島に属するチービシ礁に行った帰りのことだった。海が荒れて、小さな漁船は木の葉のようにゆれて、女性たちは怖がって大騒動になった。

「女たちにシートをかぶせて帰ってきたんですが、エイ子は平気な顔をして、舵をとる私の横に立っていました。船酔いに無関係な恵まれた体質は、天からの授かりものです」と誠一さん。エイ子さんの自然体な対応が周囲に溶け込み、地域で理想的な「夫婦船」として、認められていることがすべてを語っている。

戦世(イクサユー)を生きた漁民一家

一三歳から魚売り

「ワッターは久米島の〈オー〉が実家よ。今は観光地になっているけど、戦前は糸満のウミンチュが五〇から六〇世帯もいたのよ。明け方になると男たちは海へ漁に出て行き、女たちはハル仕事（畑作業）に行く。太陽があがるころにはオトウたちが魚を捕ってくる。自分たちはエーグヮーやタマンを首まで海水に浸かり、海を渡って久米島まで売りに行ったさあ」。

「次良石垣(ジラーイシガキ)」の上原誠一さんと「あんまー魚市場」の大城清子さんの母である上原マカトさんの一〇〇歳の生涯は、幾たびもの苦難を乗り越え、波乱に満ちた人生だった。一九一四年、久米島の奥武島(おうじま)に生まれ、一三歳から母親について魚売りを習った。魚の入ったバーキ（運搬用の籠）を頭に載せ、海中を歩くとサンゴ礁やウニの棘が素足に突き刺さり、痛くてうまく歩けなかったがすぐに慣れた。一七歳で一人前になり、自分の裁量で魚類を売り上げ、ワタクサーも蓄財した。

沖縄本島の西に位置する久米島の東方八〇〇メートルほどの沖合に二つの小島が浮かぶ。西側の小島はオー（西オー）、東側に約四〇〇メートル離れてオーハ島（東オー）がある。（注16）干潮時は徒歩で、満潮の時は竹馬かサバニを利用して久米島に渡った離島であった。

五男四女の九人兄妹のマカトさんは、幼いころから水汲み、焚き木集め、ンム（芋）掘りと家の仕事はすべて任されてきた。

「長男兄さん、次男兄さん、そして自分までは小学校も出ていない。四番目の次女妹（一九一七年生まれ）からは、竹馬やサバニで久米島に渡って学校（仲里尋常高等小学校）へ行ったけどね」。

奥武島に分校ができたのは一九四〇年のことだ（一九四一年に国民学校に改称）(注17)。

過酷な離島生活を経て、二二歳のとき字糸満町端区の漁家「次良石垣」の二代目、上原誠章さんに嫁ぎ、一〇人の子ども（五男五女）に恵まれたことは前節に触れた。私は二〇〇三年八月、マカトさんの聞き取りをしたとき、初めて久米島の奥武島に糸満漁民集落があったことを知った。南西諸島各地に出漁し分村を形成した糸満漁民だったが、その地のことはまったく知らなかった。衝撃を受けた私は、以来幾度となく那覇空港からフライト時間約三五分の久米島に通った。

かつて糸満漁民が定住した島は、一九八三年に久米島本島との間に海中道路（新奥武橋）が開設され、畳石やウミガメ館、海洋深層水を利用した温浴施設など久米島町の観光名所になっている。現在、島には移住者が居住し、西奥武に一八世帯、二八人（うち漁業者一人）、東奥武には一世帯、七人が居住している（二〇一九年二月末現在、久米島町役場町民課調べ）。

長男嫁としてのヤンバルぐらし

伝統漁法で財をなした次良石垣では、マカトさんが嫁いだときは、すでに本部村字新里に北部漁業の中継地として土地と家屋を所有していた。長男嫁のマカトさんは、現地でそれらの大量の魚を仲買人と取引する、腕利きの魚売りだった。男たちが各地を移動しても新里に住み、主食の芋や粟、ジーマーミー（落花生）を栽培し、豚六頭を飼育して、家計を守った。

本部町新里の家に関して次良さんの五男、上原誠徳さん（一九三一年生まれ）の体験から当時の様相が伺える。誠徳さんは、一九三八年にいったん糸満小学校に入学するが、一週間後に本部町具志堅の分教場に転校した経験から、一九三八年には家屋を所有していたとみている。そして第二次世界大戦中の戦時統制が始まった一九四二年ころから沖縄戦直前までの約三年間は、一家全員で新里に住み、家族で操業していたという。「空き家になった糸満の家には長女姉のヨシ（一九一五年生まれ）の家族が住んでいました」。次良さんを網元に、長男と次男の子どもたちを含めた大家族が集い、数人の雇い子も加えて共に新里に住んだというのだ。

誠一さんも、「私はまだ幼いですから、かすかな記憶しかありませんが、常に、一二、三名もの働き手がいるのですから、アンブシでもパンタタカーでもできました。潜水技術が基本

魚を受け取り販売の準備をする上原マカトさん。妹カメさん（右）の夫の上原国松さん（左）（1988 年）

ですから、どんな漁にでも対応できましたよ」と語る。

五人前後の雇い子も含めた大家族で、マカトさんは毎朝三時に起きて主食である一日分のンム（芋）を蒸し上げた。大きなシンメーナービ（大鍋・四枚鍋）にくず芋を敷き、鍋いっぱいに盛り上げて、円錐形をしたシンタと呼ばれる蓋をする。漁に出かける男たちには皮をむき、くず芋も加えて蒸かし上げ、熱いうちにつぶして握るンムニー（練り芋）に加工しておく。保存がきき弁当用には最適だった。また台風や干ばつの時の保存食としてンムクジ（芋葛）とンムカシ（芋粕）を分別、乾燥して保存するのも大切な仕事だった。ンムクジシリー（おろし金）で大量の芋をすりおろし、桶に布を張って水を注ぎ何度も濾しながら澱粉を採取する手間のかかる作業で、夜なべ仕事になることもあった。貴重な黒砂糖は親しくしている地元のサトウキビ農家が分けてくれる。新鮮な魚類を返礼し、いわば助け合いの習慣が定着していた。

黒砂糖が手に入るとマカトさんは決まって「ンムクジプットゥルー」を作る。乾燥したンムカシ（芋粕）を鍋で水やだし汁を入れて溶き、黒砂糖を加えてやわらかく練り豚油で炒める。さらに麦を煎って臼でひいた粉をミーゾーキー（円形の平籠）に敷き、柔らかいプットゥルーをまぶす。たくさん作って雇い子や子どもたちのおやつにした。

商いの担い手でもあるマカトさんが仕事を離れるのは出産後の数カ月だけだ。乳飲み子が母乳を離れ、ンムも魚汁もよく食べるようになると、姑にあずけて働きに出るのが常だった。

次良石垣の次男嫁である初子さん（一九二三年生まれ）が当時の様子を語る。「マカトはうちの長男嫁ですからね、一家の親分ですよ。力持ちで一〇〇斤（六〇kg）の魚は軽々持ちます。新里では私も含めて嫁と娘たちたちがカミアキネーに回っていました。本部や渡久地で捕れるものはすぐに魚を受け取って売りに行きました。売り上げはマカト姉さんが主導権をにぎり、ワタクサーの値段を決めていました。自分たちの儲け分を取って、当主の次良に渡すのです」。

母と子の一〇・一〇空襲遭遇

沖縄戦前年の一九四四年、マカトさんの夫、上原誠章さんは防衛隊に召集された。糸満漁協から選ばれた三人の優良漁民の一人として防衛隊に属し、日本軍の食糧になる魚を捕って納めるのが任務だった。「防衛隊」とは、沖縄住民を防衛召集により編成された部隊で、満一七歳以上、満四五歳までの男子を補助兵力として動員した。沖縄県における本格的な防衛召集は、一九四五年二月中旬から三月上旬にかけての沖縄守備軍第三二軍による大々的な防衛召集実施によるものであった(注18)。戦後調査された「防衛召集概況一覧表」（援護課調査係(注19)）によれば、糸満町だけで四八〇人に及んだ。

戦況が悪化していく中でマカトさんは夫の身を案じていた。前出の誠章さんの五男弟である誠徳さんによると、一九四四年一〇月初め、マカトさんは子どもたちを連れて夫、誠章さんに会いに行くと言い出した。一〇歳の長女初枝、五歳の長男誠一、二歳の次男誠輝を連れ、しかもマカトさんは臨月を迎えた妊婦でもあった。一三歳の義弟、誠徳さんが付き添うことになり、知り合いの漁船を依頼して糸満に向かった。一〇月九日に那覇に着き、空いている壕を見つけて夜を明かした。

そして翌朝の一〇日朝、突然上空に米機が飛来し、鳴り響く爆音に驚いたが、マカトさんは友軍(日本軍)の軍事演習かと思った。日本軍も予知していなかった一〇・一〇空襲だ。アメリカ海軍機動隊は奄美大島以南の南西諸島を空襲し、重点は沖縄本島に向けられた。午前六時四〇分の第一次開始から午後三時四五分の第五次攻撃まで約九時間にわたる攻撃は、主として那覇市に集中し、銃爆撃と共に多数の焼夷弾が投下され市街は大部分を焼失した。(注20)

断続的に爆撃が始まり、一家が入った壕はいっぱいになった。爆撃に子どもたちは怯えた。そのとき、地元垣花の女性が「糸満の人よ」とマカトさんに呼びかけ、「子どもが泣いたり大きな声を出したらアメリカーに見つかって爆撃される。そんな大勢連れていては危険だよ。子どもは捨てなさい」といったという。マカトさんは激怒した。「子どもはワッターの命ですよ。捨てろとは何事ですか」といって子どもたちを連れて壕を出た。一家が歩いていると、那覇市から御物城(おものぐすく)(首里王府の貿易品収納庫。現那覇軍港内)の東側をつなぐ北明治橋(現明治橋)が直撃を受けた。道路や川には屍体が累々。地獄絵そのものだった。マカトさんは、何が何でも子どもたちと義弟を死なすわけにはいかないと心に決めた。糸満にたどり着いたが住民はみな避難していて夫の消息を尋ねるすべはなかった。目的を果たすことなく新里に戻る以外なく、那覇から国頭村の与那集落を目指し、高波に襲われながら海岸沿いの県道(一九三五年開通)を歩き続けた。ちょうどそのとき、栈橋からぽんぽん船を出港させる同郷の知人に出会った。命拾いしたと思った。この空襲を皮切りに、激しい地上戦をともなう沖縄戦へと突入していく。

米兵に空き缶叩き抵抗

沖縄戦前夜の一九四四年一二月二〇日、マカトさんはヤンバルで三女、清子さんを無事に出産した。一九四五年四月一日、米軍は沖縄本島西海岸の読谷・嘉手納・北谷に上陸する。この日、アメリカ艦隊が沖縄本島に撃ち込んだ艦砲射撃は、五インチ以上の砲弾四万四八五〇発、ロケット砲弾三万三〇〇〇発、迫撃砲弾二万二五〇〇発に及んだ。(注21) しかし人里離れた新里集落でのマカトさん一家は農作業をして暮らしていたという。そんなある日のこと、突然アメリカ兵が三人、屋敷に姿を現した。ＭＰ（Military Police＝憲兵）のヘルメットをかぶった一人が靴のまま家の中に侵入してきた。

生後三カ月の清子さんを抱くマカトさんの前に米兵は立ちはだかった。はじめて見るアメリカ人はまるで大きな岩のようだった。「ママさん、ベイビィだけを連れて」と、母子を捕らえようというのだ。マカトさんは臆せずに米兵に立ち向かい「あんたは殺されたいか！」とすごんだ。それでも連れていこうとする米兵を振り払い、家の裏から大きなドラム缶を持ってきて、棒切れでガンガン叩き、「アメリカーだよー」と叫んだ。その気迫に押されて米兵は出ていき、そのときは事なきをえたが、翌日には新里の住民全員が捕らえられ、宜野座村松田の収容所に連れていかれた。山奥に避難していた地元住民や中南部の疎開避難民は、一九四五年六月上旬から七月中旬にかけて強制的に各地の収容所に送られた。八月中旬には瀬嵩地区には三万人、大浦地区に四万人、田井等と隣接集落一帯で五万五〇〇〇人が収容された。[注22] しばらくして義父母も糸満地区内で捕らえられ、宜野座村に送り込まれていた。軍属にいた夫も早々に捕虜になって宜野座村で避難民収容所を増設する大工作業に動員され、帰還が許されたのは一九四六年後半のことだった。

「米兵に抵抗した状況や那覇で一〇・一〇空襲に遭遇した話は、母から何度聞かされたかわかりません。二度と戦争を起こしてはならないとの強い思いで、私たちに伝えていたのでしょう。母が魚売りを引退した後は、私を含めた娘たち三人で、年に一度ホテルを予約して一緒に過ごす時間をもっていました。夜を徹して戦時中の苦労話を聞いてきました」と大城清子さんは語る。

義妹は女子勤労挺身隊

戦禍の中でマカトさんの心を痛めていたのは本土へ赴いた義妹の存在だった。誠章さんの三女妹、上原静子さん（一九二七年生まれ）は、第二次女子勤労挺身隊として本土へ動員されていた。女子勤労挺身隊とは第二次世界大戦中に創設された勤労奉仕団体のひとつで、おもに未婚女性によって構成され、戦時日本の労働力がひっ迫する中で、工場などでの勤労労働に従事させられた。

一九四三年九月一三日、次官会議決定による「女子勤労動員ノ促進ニ関スル件」において一四歳以上の未婚者女性を動員の対象とし、女子勤労挺身隊を自主的に組織する方針が打ち出され、一九四四年八月一八日には、「女子挺身隊制度強化方策要綱」が決定された。[注23] 以来、各地で女子挺身隊が結成され、少女たちは「直接お国の役に立つ仕事に挺身したいと熱望」[注24] して応募していった。

沖縄県では一九四四年二月二一日、一〇〇人余りの女性たちが第一次女子勤労挺身隊として、滋賀県彦根市の近江絹糸へと出発した。[注25] そして数日後に結成されたのが、静子さんたち第二次女子勤労挺身隊だった。字糸満町端区女子青年団に所属していた静子さんも、糸満青年学校の先生から女子挺身隊として本土の軍需工場行きの話が持ち込まれたという。

『糸満市史戦時資料』[注26]に、その体験記が記録されている。静子さんの行動を要約すると、糸満町からは一五歳から二一歳までの一九人が参加したという。一九四四年二月、白銀堂に参拝後、訓練を受ける那覇市の海洋会館へ。県内各地から集まったのは総勢一〇二人。結成された沖縄県女子勤労挺身隊が働くことになった軍需工場は、兵庫県明石市の川崎航空機株式会社であった。明徳寮という工場の寮で共同生活が始まり、制服も決められ、カーキ色の上下の作業服に頭には日の丸と神風と書かれた鉢巻をし、その上に戦闘帽をかぶった。

一九四五年一月一九日昼、大空襲が工場を襲った。爆弾を投下された工場は炎上、沖縄組からも南風原と与那原出身の二人が犠牲になった。そして沖縄が玉砕したというニュースが流れた。女子挺身隊たちは家族が死んでしまったと、みんなで泣いた。九月、沖縄女子勤労挺身隊は解散。静子さんは福岡に出て糸満のアギヤー組の炊飯の手伝いをして、一九四六年正月には糸満に戻っている。

次良石垣の一家を巻き込んだ防衛隊、女子勤労挺身隊、難民収容所体験は、戦争を知らない世代への命の伝言にほかならない。

〈第二章 注〉

1 沖縄本島の方位名は東（アガリ）、西（イリ）、南（ヘー）、北（ニシ）と呼称。

2 伊波普猷「門を意味する語」『伊波普猷全集』（第八巻）、平凡社、一九七五年、四五五頁。及び「フカダチ考」『伊波普猷全集』（第四巻）一七一〜一八〇頁。

3 「琉球国由来記」『琉球史料叢書』（第二巻）、東京美術、一九七二年、二八七頁。

4 拙文「漁村・糸満における地域共同体としての〈門（ジョー）〉の形成と機能」法政大学沖縄文化研究所紀要『沖縄文化研究（13）』一九八七年。

5 比嘉政夫『沖縄の門中と村落祭祀』三一書房、一九八三年、三六頁。

6 田口さつき「活動からたどる漁協婦人部の歩み―海はひとつ 女性部の心はひとつ」『農林金融』二〇一七年五月号〈通巻八五五号〉、農林中金総合研究所、（通巻二六九頁）二三頁、一三四〜一三七。

7 取組事例ファイル―団体編「全国漁協女性部連絡会議（JF全国女性連）」内閣府『共同参画』Number 四四、二〇一二年、一五頁。

8 「組織概要」JF全国女性連ホームページより。

9 全国漁業協同組合連合会『全漁連情報』二〇二四号、二〇一七年一月一八日発行。

10 沖縄に受け継がれてきた相互扶助的金融システム。頼子講に類する形態で、金融機関の復興が遅れた戦後沖縄では事業資金、住宅整備などに活用された。現在も親睦を兼ねた風習は定着している。

11 屋嘉比収『海を歩く』人々の思想―糸満漁民考―」『新沖縄文学』83号、沖縄タイムス社、一九九〇年、九八〜一〇一頁。

12 「琉球新報」（明治四四年四月一日付）『沖縄県史 第一六巻 資料編六 新聞集成（政治経済一）』琉球政府編・発行、一九六七年、一〇二四頁。

13　「漁場処分意見」『沖縄県農林水産行政史第十七巻（水産業資料編一）』財団法人農林統計協会、一九八三年所収、五一三〜五一五頁。

14　アンブシの漁師、上原晧吉さん（一九一九〜九四）が作成した三二カ所の「糸満近海の漁場名称」によると、字糸満近海にはグルマグチ（慶良間口）とウエンチグチ（南乃津口）が書き込まれている。また戦前の糸満を概観できる活写刷りの『糸満社会史』（祭魚洞文庫、神奈川大学日本常民文化研究所所蔵）にも、「魚族集来の入江」として記されている。なお三田牧『海を読み 魚を語る』（コモンズ、二〇一五年、一三二〜一三三頁）にクチ（口）とイノー名が地図化されている。

15　沖縄県水産試験場編『沖縄県の漁具、漁法』（財）沖縄県漁業振興基金、一九六六年、一八六頁。

16　仲村昌尚『久米島の地名と民俗』久米島の地名と民俗刊行委員会、一九九二年、二五頁。

17　仲里村史編集委員会編『仲里村史 第六巻 資料編五 民俗』仲里村役場、二〇〇〇年、三〇〜三一頁。

18　防衛庁防衛研修所戦史室編『戦史叢書 沖縄方面陸軍作戦』朝雲新聞社、一九六八年、一七五頁。

19　沖縄戦に関して防衛庁（当時）が収集した沖縄戦防衛省史料中の［沖縄二八］『沖縄戦当時に於ける部隊所在表 防衛召集概況一覧表』「防衛召集概況一覧表」（援護課調査係）。原本は防衛庁防衛研究所戦史室（現・防衛省防衛研究所）に所蔵されているが、沖縄側の研究機関でマイクロフィルム化し複製本として活用できるようになった。

20　前掲『戦史叢書 沖縄方面陸軍作戦』一一八〜一二〇頁。

21　上原正稔訳編『沖縄戦アメリカ軍戦時記録』（第一〇軍G二〇㊙レポートより）三一書房、一九八六年、二八頁。

22　名護市戦争記録の会他編『名護市史叢書一 語りつぐ戦争』名護市役所、一九八五年、八頁。

23　赤松良子編『日本婦人問題資料集成 第三巻・労働』ドメス出版、一九七七年、四七八〜四八一頁。

24　戦時下勤労動員少女の会編『記録―少女たちの勤労動員―女子学徒・挺身隊勤労動員の実態』ＢＯＣ出版部、一九九七年、一三頁。

25　宮城晴美「第六節 女子勤労挺身隊」『沖縄県史 各論編 第六巻 沖縄戦』沖縄県教育委員会、二〇一七年、三六七頁。「胸に『戦士』の誇り 乙女挺身隊訓練始まる」（『沖縄新報』昭和一九年一月三一日）。沖縄県教育庁文化財課史料編集班編『沖縄県史 資料編二五 女性史新聞資料 大正・昭和戦前編 女性史二』沖縄県教育委員会、二〇〇五年、八六二頁。

26 糸満市史編集委員会編『糸満市史 資料編七 戦時資料下巻―戦災記録・体験談―』糸満市役所、一九九八年、一七八〜一八四頁。

第三章　糸満の門中組織

上米次腹門中のシルヒラシ専用のユーチー墓（4基が連結した一体型）。火葬以前は洗骨までの遺体が置かれた仮墓（2016年）

門中祭祀と宗家の妻たち

墓は永遠の住み家

沖縄の人びとにとって墓は特別な意味をもつ。沖縄本島南部に位置する糸満市字糸満。その市街を一望できる高台の山巓毛（サンティンモウ）から県道七七号を挟んで南側に位置する一帯はハーカンジョー（墓の通り）と呼ばれる。琉球石灰岩の岩山を取り囲むようにキミガメー（南山王妃）を葬ったとされる古墓や、始祖を同じくする門中墓が点在している。[注1] 糸満市域では墓はシンジュ（先祖の寝所）として、一七〜一八世紀ごろから庶民の間で豪壮な墓が築造されるようになった。墓造りはハカブシン（墓普請）といわれ、人生の大事業とされた。人間の住む茅葺きの家は仮宿であり、石積みの墓こそ永遠の住み家と考えられたのである。[注2] 墓にはトーシー墓（当世墓・本墓）のほかに、かつて遺体が朽ち洗骨ができるまで置かれたシルヒラシ墓（仮墓）があり、火葬になった現在も遺骨の仮安置所として使用されている。一年忌を過ぎた骨壺は、年に一回のジョーアキー（墓開き）の日を定めて、先祖の遺骨が納められている本墓のイキ（池）と呼ばれる納骨スペースに合祀される。一族は死して再びまみえることを願うのである。

墓の形態は琉球石灰岩を掘り込んだフィンチャー（掘り込み墓）、亀の甲のようなドーム状の屋根を持つカーミンクーバカ（亀甲墓）、切妻屋根を載せた家形のハーフーバカ（破風墓）、片流れ屋根のヒラフチバカ（平葺墓）など多様だ。

門中組織と神人の役割

門中（ムンチュー）とは一七世紀後半以降、家譜編纂を機に首里、那覇の士族層で発達し、その後沖縄本島中南部を中心に広がり、さらに本島北部や離島にも伝わった概念である。糸満の門中は共通の始祖を持ち、同じ墓に入るハラ（腹）と呼ばれる父系血縁集団である。その始祖は近隣の地域から集まってきて集落を形成した。七腹から始まり、次に一三腹となり、現在字糸満には四〇門中、墓は共同か単独で全三一基が存在している。(注3)

門中墓は、一つの墓を一門中で所有し単独で使用する例と、複数の門中で共有し共同で使用する場合がある。沖縄県内最大の門中墓として知られるのは「幸地腹（コーチバラ）・赤比儀腹（アカヒギバラ）両門中墓」である。両門中が合同で使用する共同墓であり、その子孫は五〇〇〇人ともいわれている。

門中組織は地域によって変差があるが、社会人類学者の比嘉政夫は、五つの特徴を挙げている。(注4)

①共通の祖から分かれたものであるという口碑伝承または記録をもつ。
②共同の墓〈門中墓〉をもつ。
③メンバーが宗家の行う祖先祭祀に参加する。

④祖先祭祀に主導的役割をもつ女性司祭者が当該〈門中〉内に生をうけたものから選出される。
⑤女性は婚姻によって夫方の〈門中〉に入ること。特定の女性（司祭者）は生家の〈門中〉の祭祀に参加する。

一般に門中の神人（カミンチュ）にはウミナイ（女神）とウミキー（男神）の祖霊を祀る役割がある。神子（カミングヮ）、クディングヮとも呼ばれ、(注5) 幸地腹門中には今帰仁神子、伊波神子、幸地神子、伊原神子、南山神子など一五人の神子と一人の司神が門中祭祀を行っていたとされる。(注6)

門中の構成

「上米次腹（ウィーグムチバラ）・宇那志門中（ウナシムンチュー）」も同様である。親元である上米次腹と、その子孫である宇那志・保（フ）才（セー）・玉城（タマグスク）と義兄弟である座久仁（ザグジン）の四門中が共同で一つの墓を使用する。各門中はムートゥヤー（宗家）を中心に多くの分家群で構成されており、その当主は門中の運営においても族長的権威を持っている。しかし実際に祭祀を担うのは宗家の妻であり、その責任が大きいことはよく知られている。

宇那志門中の当主、大城憲一さんの妻である多美子さん（一九五六年生まれ）もその一人だ。かつて各門中では、祭祀を取り仕切る神人（カミンチュ・クディングヮ）によって執り行われていた。神人はその門中に生を受けたシャーマン的能力を備えた人で、門中の墓や祖霊から受けるとされる霊的憑依（カンガカリ）によって霊感を得るという。宇那志門中には三人の神人が存在し、指示役を果たしていた。

糸満の地人の腹・門中名

1	伊佐腹（イサバラ）	21	保才門中（フセームンチュー）
2	鍛台屋新屋門中（カンザーミーヤムンチュー）	22	玉城門中（タマグスクムンチュー）
3	勢理腹（シリーバラ）	23	座久仁門中（ザグジンムンチュー）
4	根人腹（ニーッツバラ）	24	浦添腹（ウラシーバラ）
5	下茂腹（スムバラ）	25	大工腹（セークバラ）
6	茂太腹（ムテーバラ）	26	与那ン下門中（ユーナンヒチャムンチュー）
7	大屋腹（ウーヤバラ）	27	徳屋腹（トゥクヤバラ）
8	具志川腹（グシカーバラ）	28	玉那覇腹（タンノーバラ）
9	大殿内腹（ウールンチバラ）	29	大串腹（ウーグッチーバラ）
10	与那城腹（ユナグスクバラ）	30	川根腹（カーニーバラ）
11	上地腹（ウィーチバラ）	31	一ヶ所腹（イッカシバラ）
12	大毛具志堅腹（ウーモーグシキンバラ）	32	当銘腹（トーミバラ）
13	当堅腹（トーギンバラ）	33	西平腹（ニシンザバラ）
14	兼久腹（カニクバラ）	34	高所腹（タカズバラ）
15	幸地腹（コーチバラ）	35	茂屋腹（ムヤーバラ）
16	赤比儀腹（アカヒギバラ）	36	上真目腹（ウィーマーミバラ）
17	前平田腹（メーヒラタバラ）	37	与座ン前腹（ユザンメーバラ）
18	頭ノ前腹（カシランメーバラ）	38	安舎慶腹（アサギバラ）
19	栄口腹（イーグチバラ）	39	上座門中（ウィーザムンチュー）
20	宇那志門中（ウナシムンチュー）	40	大毛八重山腹（ウーモーヘーマバラ）

出典：『糸満市史 資料編 13 村落資料ー旧糸満町編』39 頁

「大きな祭祀行事があると本家の上座にカミンチュや長老が居並び、祭祀行事を取り仕切る。そして、それを若者が見聞きして継承していく。今では遠い昔の語り事になりました」と、宇那志門中の宮城英雄運営委員長。

　門中の機能としては、ムートゥヤーに祀られている共通の先祖の祭祀と、一族の共同の墓である門中墓の維持管理である。成員の中から書記会計役の「ペークー」、供え物を準備する賄い役の女性の「アタイ」によって業務を分担している。なお会計業務もかつては帳簿を担当する「チョウブガムイ＝金銭出納帳簿係」と、現金を扱う「ジンガムイ＝銭扱い」が選出されたが、支出面が多様化しているため、宇那志門中では分離せずに二役員の共同作業になっている。

宗家には祖霊を拝む多くの人びとが訪れ、日常的に絶え間ない祭祀が執り行われる。それらを束ねるのが宗家の妻である。上米次腹全体の構成員は生存者だけで約三〇〇〇人。そのうち宇那志門中は約七五〇人。門中に属する人びとには墓に入る権利があると共に、墓の管理や祖霊の供養を行う祭祀に必要な費用を分担する義務がある。

宇那志門中では、祭祀分担金として一八歳から六五歳までの男女からウサカティ（お酒代）、墓の修繕積立費としてすべての成員に割り当てられるウマリワイ（生まれ割り）、全世帯からはキブイワイ（世帯割り）が徴収され、旧暦正月二日の「神年頭（カミニントゥ）」を皮切りに、正月・大里拝み、ウマチー（二月、三月、五月、六月）、春と秋の彼岸、神シーミー（神清明）、ジョーアキー（墓開き）など二二の年間祭祀が行われる。

宗家の妻のつとめ

沖縄本島出身の祖父母が石垣島新川に移住し、八重山育ちの多美子さんは、石垣で仲買、冷凍の仕事をする叔父のもとで働いていた憲一さんと一九七七年に結婚した。二人の娘を連れて糸満に戻ってきたのは一九八一年のことだった。夫の母が亡くなり、一人で宗家を守っていた祖母の望みによるものだった。その年糸満で長男が、二年後には次男が誕生した。

「この家の長男として生まれた主人が決めたのですから、当然のこととして受け止め、とくに不安はありませんでした」と多美子さん。しかし当時の門中祭祀は厳しいものだった。行事が執り行われる一番座は神人と長老の世界。宗家の妻（祖母）も二番座に控え、補助役に徹していた。幼い子どものさわぎ声など論外だ。多美子さんは子どもたちを連れて親戚の家で過ごすのが常だった。

宗家には床の間のある一番座に門中のウィーデース（上代の元祖）、二番座にヤー（家）のグワンス（元祖）が祀られており、二つの祖霊を守っていかなければならない。門中行事のほかに家の守り神であるヒヌカン（火の神）と二つの祖霊への毎日のウチャトー（供え物のお茶）、毎月朔日（一日）と一五日には、ウチャトーとウブク（赤飯の供え物）を供え、そのお下がりは必ず家族が感謝をして食するのが決まりだ。一度に五合の量を炊く赤飯は、育ち盛りの子どもたちには苦痛だった。多美子さんは小豆を食紅に変えたりして改革を試みてきた。

糸満に移り住み、宗家の妻となって一五年、しきたりにのっとり、糸満方言と八重山言葉を取り混ぜて、門中の人びとの健康と繁栄を願う祈りも滑らかになったと、役員も認める。その後ろ姿を見つめるのが後継者の長男、行（ごう）さん（一九八一年生まれ）である。

多美子さんは、石垣から糸満に移り住むことになったとき、ある決意をしていた。何か自分の仕事を持つことだった。しかし門中祭祀や幼い子どもがいて、外で働くのは不可能だった。何か家でする仕事はないか。そんな折、夫の叔母が糸満で評判の豆腐屋を開いていた。沖縄の食生活に豆腐は欠かせない食品だ。

「働くのが当たり前だと思っていました。祭祀行事の多い宗家の生活で、早朝の仕事は都合が良かったんですね」と、当時を振り返る。

「まだ下の息子が二歳くらいでしたから、目覚める前の朝五時から手伝いに行って、上の子どもたちの登校に間に合うように帰宅するペースで約三カ月間習いました」。

だれに相談することもなく自宅で豆腐屋を始めたのは一九八五年、出勤前に配達を担当するなど、夫の憲一さんの協力も得て、今年で創業三三年になる。そして現在、次男の光（さかえ）さん（一九八三年生まれ）が受け継ぎ、一一人の従業員を抱え、「こだわりの宇那志豆腐」として、地元でも評判の店になった。

木綿豆腐とゆし豆腐の専門店として、母の多美子さんが学んだ昔ながらの生絞り製法の地釜豆腐に、若き代表はきめ細かさと糖度を高め、クリーミーで濃厚な風味を加えたオリジナル商品を生み出したのだ。一回の工程でできる豆腐は半丁が五〇個ほど。午前一時から作業に取りかかり、朝六時半から販売開始、朝食用に近隣の常連客が訪れ、市内のスーパーにも卸している。宇那志の二人の兄弟は糸満の未来を担うニーセー（青年）として、さらなる飛躍を目指している。

門中墓の修復作業と年期祭

糸満の中心地、山巓毛南側に位置した琉球石灰岩の横を掘り込んで造られた巨大なフィンチャー型の「下茂腹（スムバラ）・茂太腹（ムテーバラ）両門中之墓」があり、その東側横に南山王他魯毎（たるまい）の按司墓（あじばか）が建つ。つまり下茂腹門中は南山王の子孫とされ、門中行事に手を抜くことは許されない。

ちなみに下茂腹には、「下茂」と「石垣」の二つの宗家があり、下茂は石垣から三度にわたって養子をとり継承してきたため象徴的なカミムートゥ（神宗家）として存在している。下茂腹門中の成員の多くは、直接的に血のつながる石垣の系統であり、石垣の当主である上原悟さん宅がグヮンスムートゥ（元祖宗家）として機能している。

私は二〇一六年一二月一一日に行われた下茂腹と茂太腹との共同使用によるトーシー墓（当世墓）の「戦後修復第八回・七〇周年工事及び香盆（コーブン）」の祝賀会に参加する機会に恵まれた。

その式次第にこんな文章が書き込まれていた。「私たち下茂腹・茂太腹両門中は、去る沖縄戦によって破壊されたお墓を、戦後まもなくの一九四七年に修復を行い、日本軍による陣地構築のため、外に出された先祖の遺骨を墓室に戻し、第一回の香盆を行いました。年期祭を今後憶えやすいように、一〇年に一度としました。（中略）今回は、戦後の第一回から数えて第八回、七〇周年にあたります」。

一九四四年、糸満町に配備された日本軍第九師団（武部隊）は、米軍の上陸に備えて、糸満警察署や山巓毛の地下を掘削して陣地の構築を進めた。その際、山巓毛にあるすべての墓から遺骨を運び出し、下茂腹・茂太腹、アジバカ、山城腹、根人腹、大屋腹の五つの墓に横穴を貫き連結したのだ。(注7)

コーブン（香盆）とは墓の建造後、一定の年数ごとに行われる年期祭のことである。人の死後に行われる年忌供養と同じように、一年忌、三年忌、七年忌、一三年忌、二五年忌、三三年忌とあり、

下茂腹・茂太腹両門中墓の修復工事完成と 70 周年コーブンの祝賀会（2016 年 12 月 11 日）

南山王の子孫といわれる下茂腹門中・茂太腹門中の 10 年ごとの定期修復工事（2016 年 12 月 8 日）

とくに二五年目と三三年目は盛大に催されることが多いが、下茂腹門中では墓のコーブンも修復工事と合わせて一〇年目ごとに決めているのは、沖縄戦の壮絶な被害によるものだった。

精神的支柱である先祖の遺骨が持ち出されるという身を切られるような残酷な体験と、すべてを失った敗戦直後に門中のシンカ（成員）が力を合わせて遺骨を取り戻し、那覇から購入してきたコンクリートブロックで墓口をふさぐという応急工事を施したことなど、後世のためにも記録にとどめておく必要があると、上原悟代表は考えているのだ。

その祝賀会の当日、墓前には大量の膳が並んでいた。豚、鶏、魚のウサンミ（御三味）の膳、エビやカニの膳、アサリなどの貝類の膳、豚の三枚肉の膳、赤飯、山盛りのフチャギムチ（小豆をまぶした餅）の膳と色彩も鮮やかな供え物に目を奪われる。

墓の祭壇前の広場には舞台が設置され、祝宴の座開きとして踊られる祝儀舞踊「かぎやで風」で幕が開き、最後はテンポの速い沖縄民謡に合わせて踊り喜び合うカチャーシー（即興の乱舞）で幕を閉じる。墓は門中の人びとにとって永遠の住み家であり、家の建築と同じくまさに「墓普請」なのだ。

門中行事の改革と継続

そんな伝統的な下茂腹門中を支えるのは、元祖宗家の妻、かなえさん（一九五五年生まれ）である。すでに墓の修復は半年前から準備が進められ、門中役員の会合が幾度となくもたれてきた。二〇一六年六月一三日の役員の打ち合わせに、かなえさんの参加が要請されている（同門中記録）。墓の改修作業には、ユタ（民間霊能者）やサンジンソー（三世相）を訪ねて、日取りやハンジ（判断）を仰ぐのが慣習だ。その依頼など見えない雑務がすべて宗家の妻にかかってくる。

五人の子どもを育てる過程で、途絶えることのない祭祀行事と、南山王の元祖を訪ねる突然の来客で、まったくプライバシーのない生活だった。一九九四年に自宅を改築した際、かなえさんは当主である夫の悟さんに一つの提案をした。「帰元南山王之霊位」と記された位牌が祀られた門中の一番座と石垣の元祖が祀られた二番座を、居住スペースと分離した間取りにしたいということ。さらに委員会の快諾を得て、門中祭祀専用の台所とトイレが門中費用で増築され、自宅の台所とは切り離された。現在八人の孫に恵まれたかなえさんの一日は忙しく、活力に満ちている。

「結婚のとき、門中祭祀の一切はアタイとペークーがやるから、宗家であっても心配はないと言った夫の言葉は嘘でした」と笑う。しかし、かなえさんは伝統に押しつぶされることなく、門中の幹部に相談しながら改革してきた。糸満独自の文化として門中行事を大切に思うからこそである。供え物も時にはお赤飯のウブクをみかんに替え、旧暦三月三日のハマウリー（浜下り）にはお菓子を供えることもある。ウサンデー（供物のお下がり）は、家族がおいしく味わってこそ祖霊からの加護も得られるというものではないのか。

後継者の長男、大吾さん（一九八一年生まれ）のためにも、現代の生活様式に合わせて改革していくのは母の務めだと考えている。他の門中とも情報交換して、さらなる合理化を図っていきたいと、かなえさんは願っている。

門中と神人

門中の神人になる

童名（ワラビナー）であるウシーグヮーと呼び親しまれてきた安室シズ子さん（一九三四年生まれ・旧姓金城）は、父、金城徳次郎（一九一〇年生まれ・新出東江小（ミーンジアガリエグヮー））と母のウシ（一九〇三年生まれ）の六人姉妹の長女として生まれた。母の生家は久米島の奥武島で手広く追込網漁業を営む屋号、徳前沢岻（トゥクメータクシ）であった。

一九三八年四歳のとき、両親と次女妹のカズ子さん（一九三六年生まれ）と共に奥武島にわたり、沖縄戦に遭遇した。一九四四年に生まれた妹が久米島・下阿嘉集落の避難地で栄養失調で急逝するという悲しい体験もした。

一九五〇年、一六歳で糸満に引き揚げた。すべてを失った沖縄本島糸満の戦後をシズ子さんはたくましく立ち向かっていく。糸満では、母方の祖母の家の前にテントヤーを造って住んだ。鉄の暴風が吹き荒れ、廃墟の中から立ち上がった沖縄の戦後は、戦果と密貿易によって命をつないだ。米軍の物資を抜き取る作業を「戦果を上げる」といい、「戦果アギヤー」と称賛された。まさに米軍占領下における密貿易は戦後沖縄の社会生活を浮き彫りにした。

一九四七年一一月末、那覇市開南地区にヤミ市が生まれた。その二年前に壺屋を拠点に集落が作られ、露天を広げた。ヤミ市には台湾米、香港製の化粧品、日本製のオモチャなど雑多な品物が出現した。(注8)シズ子さんも「闇グヮーで何でも売った。袋が破けたソーミン(素麺)などをかき集めてミーゾーキー(平籠)に入れて、開南とか壺屋とか市場のある場所で広げて売りまくった」という。ヤミ市の流通は、イユウイ(魚売り)によって商いの知識を備えた糸満女性たちの活躍の場となった。

一九五八年、祖母同士の話し合いで、首里石嶺出身であり、マグロ船の機関長だった安室幸佑さん(一九二九—二〇〇二)と結婚。二四歳だった。夫は働き者で明るい糸満娘のシズ子さんを、育ちの違う首里出身の姑から守った。シズ子さんは魚商売をしていた妹を頼り、那覇市小禄の公設市場でサシミ屋を開く。夫も運送会社やタクシーの運転手に転職して妻を支えた。夫婦はがむしゃらに働いた。一九五八年に長女が誕生、一九五九年長男、一九六一年次男、一九六四年三男と、四人の子どもに恵まれ、くらしも安定し始めた一九八〇年、夫の幸佑さんが脳梗塞に倒れた。

その命は明日をも知れない。なぜこんな目に遭うのか、自問自答するシズ子さんは、幻聴に悩まされるようになる。「あんたは赤比儀腹門中の神人になるよう決められている。指示に従って祖霊を拝みなさい」という声が聞こえるのだ。一般に、神人になるべき人は、幻覚や幻聴を通じて祖霊と交信するとされている。しかしシズ子さんはこれまで霊力などとはまったく無関係な人生だった。とまどいの中、見えない力に促されるように祖霊の指示に従った。

「行ったこともない海や山やお墓の場所を見せるわけですよ。場所も地区を指定されて、その場所がわからないときは、誰でも構わずに聞きました」。

最初の試練が「大城按司の墓」だった。ふもとで畑仕事をしていた老人にその場所を聞いた。坂道を登ったり、右折したり一キロメートルほども歩いただろうか。墓はあった。のちにその場所が南城市大里字大城（旧大里村字大城）であることを知った。一四世紀の初めに築かれたと伝えられ大城城（ウフグシクグスク）の城主であった大城按司真武（唐名は麻普蔚）の墓だ。一八九二年に現在地に移築された墓は琉球石灰岩の岩山をくり抜いて墓室をつくり、ドーム状の石積みになっている。その形から俗に「ボウントゥ御墓（うはか）」と呼ばれている。その主、大城按司真武は後述の『惣山（スーヤマ）家門中系図』でみるように、さかのぼれば惣山始祖の出自に関わる首里麻氏の元祖である。

旧正月の御願：赤比儀腹門中の旧正月元旦の若水汲みとカー拝みに巡拝する神人の安室シズ子さん（2019 年）

「新出東江小の長女、金城シズ子、戌（いぬ）の女です」と旧姓を名乗る。「生家のシジ(血筋)からしか神は出てきません」。

安室さんは赤比儀腹門中の一八人のウィキービ（門中の男性役員）の承認を受けて一九八二年、四八歳で正式の神人になった。宗家である屋号「惣山（スーヤマ）」では、安室さんのためにウイショウ（御衣装）と呼ばれる白無地の神人衣装づくりが行われた。

カミンマリ（神生まれ）

門中に認められ、神人になることをカミンマリ（神生まれ）、あるいはカミカンジスン（神被りをする）という。神人になったその年と節目の年には、カミンマリヌユーエー（神生まれの祝い）と呼ばれる年祝いの儀式が行われる。二〇一五年五月ウマチーの翌日の旧暦五月一六日の神遊びの日に合わせて、安室シズ子さんの三三年目の「カミンマリヌユーエー」が行われた。その詳細な記録が『糸満市史』[注9]に掲載されている。

まず宗家の惣山の祖神を拝んでから、門中の役員をつとめるウィキービを伴ってヌンドゥンチ（祝女殿内）の神屋を拝んだ。その後ふたたび惣山に戻ってカミンマリヌユーエーの一連の儀式が滞りなく済んだことを祖神に報告。儀式の後は、参列した門中のウィキービや神人の家族などに赤飯や刺身、赤かまぼこ、赤饅頭、安室さんが持参した菓子などを盛った祝いの膳がふるまわれ、歌三線や踊りなどの余興も交え、神人就任三三年目の節目がにぎやかに祝われたという。

そして安室さんは以下の歌を詠んだ。

一、今日（きゆ）ぬゆかる日に門中（むんちゅう）ゆ揃（そろ）てぃ

神人(かみんちゅ)の御祝(うゆえ)うゆえさびら
二、神ぬ道さばち按司(あじ)が道さやか
神子(くでぃんぐわ)ぬ真筋(ましじ)さやかでびる
三、元木(むとぅじ)あたくとぅどぅ
枝葉(いだふぁ)にん咲ちゃる
先祖(むとぅじ)忘(わし)りゆな門中(むんちゅう)兄部(いきび)
（赤比儀腹門中提供）

また任務を終えた神人の死後はクイサギ（神の乞い下げ）という儀式が行われる。就任儀礼の際に拝んだカー（井泉）や拝所をはじめ、生前に拝んだ聖地を巡拝し、死去を報告し役目を解いてくださるよう乞い願うという。

年間の門中祭祀

■旧正月元旦

字糸満の四〇ある門中の祭祀行事を取り仕切る神人はいまや赤比儀腹門中の、安室シズ子さん一人となった。二〇一九年の正月朔日(ソーグヮチチータチ)（新暦二月五日）、赤比儀腹門中のワカミジトゥイ（若水汲み）とカー

ウイショウ（神衣装）で三月ウマチーを司る神人の安室シズ子さん。2019年旧暦3月15日　（写真提供：赤比儀腹門中）

（井泉）拝みに同行した。その朝、宗家では供え物や祭祀の準備を担当するアタイ（係）の女性たちや、年役目である男性の「ペークー」[注10]が準備に追われていた。午前九時、神人の安室さんは役員六人を伴って出発。門中ビンシー（酒を入れた一対の瓶子と盃、花米などをセットした箱型携帯用の祭具）と大量の線香、若水を入れる容器、御願の際に用いる神人専用の小型椅子を抱えて役員たちがお供する。

まず糸満の人びとが厚い信仰を寄せる「ヨリアゲノ嶽、神名シロカネノ御イベ」[注11]を祀る白銀堂へ向かう。建物奥の洞窟内のイビ（威部は御嶽の神が鎮まるところ）の周辺に生い茂る草木は神の依代であるという。[注12]そのイビの前での祈りから始まる。神人のウチナーグチの鈍いグイス（御願のことば）が静かに流れる。「尊いイビの神様、おかげ様で本日、年頭を迎えることができました。今日から始まる一年が門中にとって健やかに過ごせますように。アー、ウートートー（ああ、尊い）」。白銀堂内で拝する聖所は四カ所ある。「南山、玉城、今帰仁などへのお通しお嶽」[注13]とされる御嶽に門中ビンシーを供え、三つの香炉に線香、花米、酒を供えて今日の若水汲みを報告する。さらに敷地内の子の方向にあるニーヌファヌウカー（子の端の御川）、ナカヌユーヌウカー（中の世の御川）を拝む。ちなみにカーは井泉のことである。

白銀堂内の拝みを終えると、南側の県道二五六号（旧国道三三一号）の糸満街道沿いの勢理腹の祖先が掘ったといわれるシリーンカー（勢理の川）へ。ちょうど地元の「糸満市立糸満南こども園」の園児たちが通りかかり、儀式を興味深そうに見ている。引率の先生から内容を聞かれた門中役員が、戦前は早朝にウブガー（産川）やムラの共同井戸から若水を汲んできて、その水のウチャトー

（お茶湯）を仏壇や床の間に供えた。残りの若水は命の水であり、家族全員の額にウビナディー（御水撫で）をして健康を願う儀礼をしたことを説明。この日シリンカーから汲み上げた少量の若水は園児たちに分けられ、子どもたちは一列に並んで額につけてもらい思わぬ社会体験となった。

カー拝みは続く。神人の安室シズ子さんはクラムトゥガー（蔵元川）、マチンカー（マチ〈市場〉の川）、ウスクガー（薄久川）、ウビガー（トゥンチヤーヌカー・火ヌ神を祀る殿内屋の川）、アジガー（按司川）、ハマガー（浜川）と回り、二時間をかけたワカミジトゥイの行程は終わった。赤比儀腹門中では持ち帰った若水は宗家の神棚に二月ウマチーまで供えておく。

■神年頭（カミニントゥ）

翌日の旧正月二日目は門中の神々（祖霊）や遠祖を祀る旧家へ年頭のあいさつに回る神年頭である。『赤比儀腹門中年間行事誌』によると、三班に分かれて、おさい銭（一〇〇〇円から三〇〇〇円）、お酒一升を持参して一四カ所を回る。那覇市首里の田名家、字垣花の又吉家、字大嶺の後上間（クシイーマ）、同字具志川（グシカー）、同字ヌールヤーは、始祖の出自に関わる旧家であり重要な祖霊である。『惣山家門中系図』[注14]によると、赤比儀腹の始祖である上間筑登之は、首里士族の麻氏九世真代の父系血筋を引き、糸満に移り住み、三人の男子を産んだ。長男の金城筑登之親雲上は「惣山」を継ぎ、次男が「沢岻」、三男が「東リ江小」の祖となった。そのため首里の麻氏九世真代の系統である田名家と又吉家、そして始祖の出自に関わる那覇市字大嶺の旧家である後上間と具志川へのあいさつは欠かせない。他方女性たちは、赤飯、肉と大根の汁物、カティムン（かまぼこ、三枚肉、豆腐、昆布、魚のから揚げの五点）などを準備し、門中委員、神人、参拝者に対し平膳に盛り合わせてもてなす。

■神遊び（カミアシ）

旧正月三日目は神を賛美してにぎやかに過ごす神遊びの日である。神人はペークーと共に祝女殿内を拝し、宗家に戻ったら、来客と共にもてなしを受ける。最高のご馳走であるカティムンに加え、白イカ（アオリイカ）汁が加えられる。ウシル（お汁）は儀礼の特別料理である。門中誌には注意として、「神人の召し上がる白イカ汁のスミは、本人の好みに応じて希望しない神人にはスミを入れない」と特記されている。

ちなみに「神遊び」とは、弁蓮社袋中『琉球神道記』(注15)の「キンマモンの事」の章で天地開闢の神話から、神出現の信仰の諸相を説く。「守護ノ神現ジ給フ。キンマモント称シ上ル。此神海底ヲ宮トス。毎月出テ託アリ。所所ノ拝林（オガミバヤシ）ニ遊給フ。持物ハ御萓（ミゲン）ナリ。唄ハ御唄（オモリ）ナリ」とある。原田禹雄訳注(注16)によると、キンマモンとは「君真物」のことであり、すぐれた霊力を持つ霊威・神を指しているという。

赤比儀腹門中では旧正月一月三日以外に、稲作と麦作の儀礼である旧暦二、三、五、六月の各一五日に行われる門中祭祀のウマチー（麦稲四祭）のうち、二月ウマチー（麦穂祭）と五月ウマチー（稲穂祭）の翌日の一六日に神遊びが行われる。この麦稲四祭に関して、糸満町の沿革が概観できる貴重な記録とされる『糸満社会史』(注17)では「旧暦二月、三月、五月、六月の十五日には各々その大祖先の地である元所に参詣する」としている。昨今、三月ウマチーは簡略にすます傾向にあるが、赤比儀腹門中では現在も簡略せず行われており、安室さんも全ウマチーには白い神衣装をまとう。

字糸満における門中の諸行事はほぼ同じだが、赤比儀腹門中の年間行事は二八におよぶ。加えて門中祭祀には、東の井泉廻り（アガリカーマーイ）や中城拝み（ナカグスク）、今帰仁廻り（ナキジンマーイ）など奇数年に聖地をめぐる遠方巡拝行事がある。糸満でただ一人の神人となった安室シズ子さんは、間断なく続く祭祀を担い、祖霊を敬い門中の繁栄を願う日々である。

墓を共有する女性の門中帰属原理

グヮンス・ニービチ

字糸満の伝統的な漁家であった屋号、徳山戸拝見（トゥクヤマテーキン）の上原勘太郎さん（一九一七―一九九四）と妻の芳子さん（一九一七―二〇〇二）は、今は亡き冥界の人である。

芳子さんは糸満でも豊かな家柄の長女として嫁ぎ、サバニを所有する網元として、五島列島やフィリピンに出漁する夫を支えてきた典型的な海人の妻であった。しかし夫妻は子どもに恵まれなかった。親族にとって徳山戸拝見の家を継承する跡継ぎがいないことは、大きな悩みごとであった。

糸満の門中組織にとって、長男優先のグヮンスの継承と祭祀は日常生活の中核をなすものであり、継承者がいないことは家系の消滅につながった。なかでも糸満市は沖縄県内でも門中観念の強固な地域であった。

女七人、男三人の長男である勘太郎さんの親族たちは生家の後継者に関して心を痛めていた。そんな折、石川市（現うるま市石川）に嫁ぎ公設市場で鮮魚店を開いていた勘太郎さんの三番目の妹、道子さん（一九二七年生まれ）の向かいの店に宇座繁子さん（一九二七年生まれ）がいた。石川の出身で、大家族の長女であった繁子さんは若いころから、公設市場で働いていた。労を惜しまずチュラカーギー（美しい人）の繁子さんは、市場でも評判の女性だった。道子さんを通して繁子さんの存在を知り、跡継ぎを心配していた勘太郎さんのおばが繁子さんとの交際を勧めたという。なかでも強く望んだのは自ら子どもを産めなかった妻の芳子さんだった。

若い繁子さんも財力があり頭の切れる糸満の海人、勘太郎さんに惹かれた。一九五〇年、繁子さんは二三歳で待ち望まれた徳山戸拝見の後継者を出産し、父は「あきらか、みがく」などの意味をもつ、瑩と名付けた。繁子さんは勘太郎夫妻宅の付近に宿を取り乳飲み子を育てた。乳離れした状態で赤ん坊は本妻の芳子さんに渡され、繁子さんは石川に帰った。その後も一九五二年に次男、一九五六年に三男、一九五九年に四男と、四人の男の子に恵まれ、勘太郎夫妻の子どもとして任意認知された。そして長男と三男が糸満で芳子さんを母として育てられ、次男と四男は石川の繁子さんのもとに置かれた。芳子さんは子どもたちを愛し、大切な跡継ぎである幼い瑩さんをいつもおんぶして魚売りに回った。瑩さんは県立沖縄水産高校に学び、一メートル八〇センチという恵まれた体でバスケットボールの選手として活躍、卒業後は外国商船に乗船した。一九七二年、二一歳の幸代さん（一九五一年生まれ）との結婚を機に船を降り、大手企業の冷凍会社に転職。現在は関連会社の沖縄冷食水産加工事業協同組合を担当している。

当主の勘太郎さんは交通事故で半身不随となり、船や漁具のすべてを弟に譲って、木材の仕事に就いていた。徳山戸拝見家の長男嫁となった幸代さんは、糸満市与座の農家で五男三女の八人兄弟の次女として育った。農村と漁村の環境の違いに戸惑い、妊娠一〇カ月で死産。喪失感に苦しむがその後、三男二女の五人の子どもに恵まれ、現在一四人の孫をもつ。働き者の幸代さんは結婚後も看護制服の縫製の内職を経て、ホームパーティー式で販売するアメリカ産の食品密閉容器の外交員として働き、仕事ぶりが評価されて外国旅行も経験した。そうした多忙な生活ができたのも、五人の子どもたちの面倒をみてくれた義母の支えがあったからだと、幸代さんは姑への感謝の念を語る。

女性元祖のゆくえと門中の帰属権

勘太郎、芳子夫妻が亡くなり、繁子さんも八〇歳を超えたときのことだった。生まれつき高い霊力(サーダカンマリ)を備え持っていた幸代さんは、ある日夢を見る。義父の勘太郎さんが枕元に立ち、長男を生んでくれた宇座繁子さんの死後は、徳山戸拝見の祖霊として正式に迎え入れられるようにして欲しいと告げられたのだ。幸代さんも夫の実母を石川に残しておいて良いものか悩んでいた。それとなく繁子さんの気持ちを探るが、四男一家との生活に満足していて「うちは糸満へは行かんよ」と取り合わない。

しかし沖縄では未婚のまま死亡した女性や、離縁されて出戻った女性の位牌や香炉は、生家の仏壇に合祀されることは許されず、ウンナグヮンス（女元祖）として片隅にひっそりと祀られる。しかし繁子さんには門中に帰属する資格がある。つまり女性が死後、門中墓に入ることができる資格は、跡継ぎの男子を生むことであり、男子を出産して初めて正当な祖先としての資格を獲得するか

らである。(注18)

「女祖霊のゆくえ」に関して社会人類学者の村武精一も、離婚した女性の祖霊祭祀のあり方をみると「一様に婚家先のバラの墓に入り、その家を通じて供養・祈願されている」とし、再婚女性の死後の処遇は、男子とりわけ長男を産んだ女性であるかどうかによって規制されると論証する。つまり「婚家先のバラの父系男血筋の再生産に寄与したか、しなかったかによって規定される(注19)」というのだ。繁子さんは結婚もしていない。門中の帰属権を獲得できる資格を放棄させるわけにはいかなかった。

仏壇前で行われた宇座繁子さんの85歳の生年祝いと亡き勘太郎さんとのグヮンス・ニービチ。2011年8月27日（写真提供：上原瑩）

幸代さんが決行すべき好機がやってきた。宇座繁子さんの八五歳の祝いを、徳山戸拝見の仏前で執り行い、そして勘太郎さんとの結びの儀式（グヮンス・ニービチ）として祖霊に報告したのだ。つまり繁子さんは八五歳にして、亡き勘太郎さんの新たな妻として嫁入りしたのである。しかし繁子さんが門中の帰属権を認められ、門中墓に入る権利を得るためには、門中への手続きが必要である。成員として墓の管理や祖霊を供養する祭祀に必要な費用を分担する義務が生じてくる。なかでも当家が属する下茂腹門中は南山王の子孫といわれており、祭祀行事は重要視されている。繁子さんの処遇に関して、長男の瑩さんから申し出を受けた下茂腹門中の上原悟委員長は委員会にかけ、全役人から賛同を得た。繁子さんは正式に門中の成員になることができたのだ。

「下茂腹門中規約」によれば、負担金は墓の維持管理の経費として①ウマリワリ（生まれ割）年間二〇〇円、②年間五回のウマチー経費（満二〇歳から六四歳の対象者）、さらに③一世帯五〇〇〇円のキブイ割（世帯割）となっている。

幸代さんの配慮と積極的な行動によって、死後の行く末のめどが立ち、繁子さんは安堵した様子だという。現在九四歳になり、車いすの生活になった繁子さんを介護するのは一昨年、うるま市役所を定年退職した四男の満さんだ。同じ寝室で昼夜看護を尽くしているという。

元祖祭祀の忌避

「グヮンス」は一家の祖先、あるいは創始者「元祖」に由来するが、通常は位牌や香炉を通して祀られる祖霊を意味する。(注20) さまざまな祖霊祭祀や儀礼を総称して「元祖事」（グヮンスグトゥ）と呼ばれる。幸代さんが執り行った「グヮンス・ニービチ」もまた元祖事の一つである。長男優先の父系血縁によって元祖の祭祀とその継承が原則とされる「トートーメー（位牌）問題」は「女が継いでなぜ悪い」と社会問題にもなった。トートーメーの継承は遺産相続と一体化しており、新民法と男女平等の理念に反するとして国際婦人年の中間年にあたる一九八〇年に琉球新報社が企画した「うちなー、女男」シリーズの中の一つとして大きな反響を呼んだ。その背景にはユタ問題があり、個人的なアドバイザー、カウンセラーの役割を果たしてきたユタ問題を婦人団体の運動だけで排除することへの警戒を示唆したのは比嘉政夫だった。「強権力をもってひとつの信仰を押しつぶすことにもなりかねない……現代社会に適応できない人もいるわけで、そういう人のことも考えないといけない」(注21)と警告した。論争から四〇年近く経た現在も、沖縄本島における門中観念は根強く継承されている。

グソー・ニービチ

亡くなった上原勘太郎さんと、生存する宇座繁子さんの例が「グヮンス・ニービチ」なら、死者同士の結婚は「グソー・ニービチ」である。沖縄戦で犠牲になった婚約者たちの思いをとげさせようと、近親者が死者たちの結婚式を執り行い、夫婦として祀られる事例がある。沖縄本島に残る「グソー・ニービチ」の慣習である。沖縄方言でグソー（後生）は死後の世界をさし、ニービチは婚礼を意味する。「ニービキ」とも呼ばれ、長男の嫁の引き移り、あるいは嫁を婿の家に入り込ませる儀礼の「根引き」(注22)からの転用とされる。つまりグソーの結婚、「冥界婚姻」である。私が初めて「グソー・ニービチ」という概念を知ったのは沖縄本島中南部に位置し、戦前は浦添村唯一の海辺の地味豊かな農村小湾（こわん）でのことだ。

私は一九九八年から二〇〇八年の一〇年余り、『小湾字誌』（写真集、記録集、戦中戦後編）[注23]の編集を担っていた。その小湾集落は沖縄戦の戦場となり、戦闘終結後はすべての居住地と農耕地が米軍基地（キャンプ・キンザー）に接収された。灰燼と化した沖縄の戦後は、生き残った者にとっても地獄だった。多くの肉親や近親者を失い、涙をぬぐう暇もなく立ち上がった人びとの悲しみを支えたのは死者と共に生きる死生観だった。沖縄戦と幾多の受難の中で、死者を亡き者とはせず、その霊力によって生きる力を再生していく文化様式だったのだ。

小湾では沖縄戦で犠牲になった二組の婚約者がグソー・ニービチによって夫婦として迎えられた。そのひと組が、宮城敏（一九二〇年生まれ）と屋号、前門（メージョー）の長男、比嘉安政（一九二三年生まれ）であった。海軍に入隊することになった安政は一九四三年、両家によって敏との「サキムイ」（結納）が取り交わされた。前門家側から「ユミイーガ」（嫁もらい）の来訪を受け、両家の酒盛りによって婚約は成立する。

当日は男性側の身内や親戚の者が、祝い膳と一升瓶の口を赤紙で包装した祝い酒を持参して、仏壇に婚約成立を報告し、両家で盃を交わした。サキムイを済ませた二人は親族や世間に認められた立場となり、敏は大地主の前門家の野良仕事を手伝い、戦場の許嫁（いいなずけ）の無事を願いつつ、妻となる日を待っていた。しかしその敏の婚約者、比嘉安政は、一九四四年八月二二日、二一歳の若さで戦地フィリピン沖に散った。そして敏もまた米軍が上陸した沖縄の南部戦線で一九四五年六月八日、艦砲の直撃を受けて即死した。

過酷な運命に引き裂かれた婚約者同士は、あの世で相手を求めてさまよっているにちがいないと、長男とその婚約者を失った前門家によって二人の霊がとり結ばれた。安政の遺骨代わりの小石四九個（人体は四九の骨からなると考えられている）とともに、戦死地から収集された敏の遺骨は一つの骨壷に収められた。敗戦後の浦添村仲間収容所暮らしを余儀なくされていた時代のことであった。現在トートーメー（位牌）に、長男嫁として銘記され、二人は夫婦として前門家で手厚く祀られている。

多様な死霊結婚

もう一組のグソー・ニービチカップルは、一九四三年一一月二五日、ブーゲンビル島海域で戦死した新外間（ミーフカマ）の外間廣安（当時二八歳）と、名嘉（ナーカ）の長女、比嘉トシ（当時二五歳）だ。一年半前に最愛の人を亡くしたトシもまた、女子挺進隊員として小湾に配属されていた独立歩兵第四中隊に召集され、軍属として戦闘に参加し、命を落とした。二人のトートーメーは現在、新外間家によって「廣安妻トシ」として祀られている。

さらに沖縄戦に関わるカップルがいる。結婚を約束しながら、疎開船対馬丸事件の犠牲になった男女が二〇一五年八月、七一年のときを経て結ばれ、結婚し同姓になったのは当時二六歳の池宮城秀則さんと一九歳の旧姓・比嘉静子さんだ。共に羽地村（現名護市）出身で、垣花国民学校の引率教員だった秀則さんに同伴し、静子さん（沖縄県立第三高等女学校を卒業）も乗船した。

疎開船対馬丸（六・五七四トン、西沢武雄船長）は出航して約二七時間三〇分後、アメリカの潜水艦ボーフィン号（全長約九五m、最大二四本の魚雷を搭載可能）によって、一九四四年八月二二日夜一〇時一二分撃沈された。場所はトカラ列島悪石島の北西約一〇㎞地点。乗船者一七八八人（国民学校児童一六六一人を含む）であった。(注24) 対馬丸撃沈事件から七一年を迎えた二〇一五年も遺族から新たに提供された犠牲者一〇人（学童九人、船員一人）の遺影が二〇日、那覇市若狭の対馬丸記念館に追加展示され、判明した犠牲者総数は一四八四人（二〇一五年八月現在）となった。

静子さんはこれまで、「比嘉」の姓で対馬丸記念館に刻銘遺影展示されてきたが、同館の調査で二人が名護市の戦没名簿や糸満市の平和の礎には同姓で記されていることが判明。戸籍上は結婚していなかったが、婚約者の間柄で、静子さんの位牌があるのは秀則さんの遺族宅だと確認した。遺族に意向を聞いたところ、夫婦としての刻銘を望んだことから、静子さんを「池宮城」の姓に修正することになったのだった。いま静子さんは公的な機関である対馬丸記念館の閲覧室に旧姓の比嘉から「池宮城静子」として刻銘展示されている。

二人のトートーメーが祀られているのは、秀則さんの甥に当たる池宮（戦後改姓）秀延さん（一九四〇年生まれ）宅の仏壇だ。二〇一六年一二月一〇日、名護市伊差川の池宮宅をお訪ねした。旧盆などには親戚が集い、二人の写真を飾って忍んでいるという。案内された墓地には「昭和十九年八月二十二日学童疎開引率のため対馬丸にて悪石島航行中遭難死」と、秀則さんと静子さんの碑が建てられていた。

東アジアの死霊結婚と沖縄本島の展開

この世で添い遂げることができずに死亡したカップルを、両親や近親者が取り持ち、あの世で結婚を実現させる習俗は、沖縄に限らず各国で広くおこなわれているという。もっとも研究蓄積が多いのは中国・香港・台湾、韓国、日本本土の東北地方といった東アジアで、これらは「死霊結婚」「冥界婚（姻）」と呼称される。(注25)

「冥界婚姻」に関する先行研究には、大きく二つの潮流を見ることができる。一つは桜井徳太郎によるシャーマニズムを視点として多くの具体例を調査し、その発生動機を検証したものである。中心的役割をはたしたユタ（呪術的宗教職能者）の関与が指摘される。それに対し韓国、中国、日本における比較研究を座標軸とした竹田旦(注26)らによる東アジアにおける家族制度と社会組織に視点を置いた研究である。

桜井は沖縄本島で展開するグソー・ヌ・ニービチに三つの動機を挙げている。(注27)

（一）離婚のため婚家をはなれた女性が、先夫を慕い死後結婚を要求する事例。

（二）許婚関係にある女性か、または両者が死亡した事例。

当時婚約者だった池宮城秀則さんと静子さんは、いま甥の池宮秀延さん宅で祀られている（2016年）

(三) 恋愛関係にある者が夭死（若くして死亡）した事例。

この三例の中でも（一）がもっとも多く、この場合も①離婚されて実家に帰り、そのまま実家で死去し実家の墓に埋葬されているパターンと、②離婚ののち実家へ戻り、さらに再婚して、再婚先の墓に埋納されているパターンを分別している。

なかでも沖縄の特色は、門中と呼ばれる父系出自集団の観念が優先し、その原理がヤー(家)、グヮンス（位牌）の継承に作用している。つまり、父系血縁を重視するためにヤーは長男が継ぎ、次男以下の男子は分家し、女子は結婚して婚家に属することを基本として、実家に留まることは禁止される。したがって死後も夫のもとで、同じ甕に入り冥界における永遠の夫婦生活を送るべきだとする「家族観」「女性観」が死霊結婚を支えていると桜井は分析する。さらに上江洲均は、女性が未婚のままあるいは離婚後生家の仏壇で祀られることの忌避は、一つの厨子甕に夫婦の骨を一緒に入れる風習「夫婦（ミートゥンダ）は甕の尻（チビ）は一つ」という思想を生み、「後生ニービチ」と出発を同じくすると指摘する。(注28)

他方、グソー・ニービチには、祀り手のない女性の位牌や遺骨を移動させることによって、いわば死後における女性の正式な帰属権が獲得されるという可能性を挙げるのが新垣智子(注29)である。冥界結婚は、沖縄社会の祖霊観に結びつき、親族の類型化と拮抗しながら多彩な展開をみせている。

〈第三章 注〉

1 糸満市史編集委員会編『糸満市史 資料編13 村落資料 旧糸満町編』糸満市役所、二〇一六年、一七八～一七九頁。
2 糸満市史編集委員会編『糸満市史 資料編12 民俗資料』糸満市役所、一九九一年、二九二頁。
3 前掲『糸満市史 資料編13 村落資料 旧糸満町編』一八六頁。
4 比嘉政夫『沖縄の門中と村落祭祀』三一書房、一九八三年、二五頁。
5 湧上元雄「糸満の年中行事」沖縄県文化財調査報告書『糸満の民俗』（糸満漁業民俗資料緊急調査）那覇出版社、一九七四年、九九頁。
6 仲程正吉編『沖縄風土記全集 第二巻 糸満町編』沖縄風土記刊行会、一九六七年、四七～四八頁。
7 前掲『糸満市史 資料編13 村落資料 旧糸満町編』二一九頁。
8『沖縄の証言―激動25年史』（上巻）沖縄タイムス社、一九七一年、二〇四頁
9 前掲『糸満市史 資料編13 村落資料 旧糸満町編』二六六～二六八頁。
10 門中のペークーは王府時代の位階名である親雲上（ペーチンまたはペークミー）が語源といわれる。
11『琉球国由来記』伊波普猷、東恩納寛惇、横山重共編『琉球史料叢書』（第二巻）東京美術、一九七二年、二八七頁。
12 宮城栄昌『沖縄のノロの研究』吉川弘文館、一九七九年、三三頁。
13 前掲、湧上元雄「糸満の年中行事」一九七四年、九八頁。
14 惣山家に伝わる系図や伝記書類は去る大戦で焼失。戦後門中の長老たちの話をもとに、門中委員たちによって一九七二年に複製された系図である。
15 釋袋中著、明治聖徳記念學會輯、加藤玄智代共校『琉球神道記』私製、明世堂、一九四三年、七六頁。
16 弁蓮社袋中著、原田禹雄訳注『琉球神道記』榕樹書鈴、二〇〇一年、二三九頁。
17 活写版刷り『糸満社会史』祭魚洞文庫、神奈川大学日本常民文化研究所所蔵。

18 高江州洋子「父系出自集団における女性の帰属原理―沖縄県東風平町高良の場合―」『民族學研究』（56―4）日本民族学会一九九二年三五三〜三五四頁。
19 村武精一「沖縄本島名城の descent・家・ヤシキと村落空間」『民族学研究』（36―2）一九七一年のち『神・共同体・豊穣』未来社、一九七五年に所収、一二八〜一二九頁。
20 前掲、『糸満市史 資料編12 民俗資料』四五頁。
21『トートーメー考―女が継いでなぜ悪い』琉球新報、一九八〇年、一七三〜一七四頁。
22 瀬川清子『沖縄の結婚』民族民芸双書47 岩崎美術社、一九六九年、八九頁〜九五頁。
23『小湾字誌―小湾新集落の建設とあゆみ』他、写真集記録集の三部編 小湾字誌編集委員会、二〇〇三年〜二〇〇八年
24 乗船者数は「対馬丸記念会調査データ」二〇〇五年七月二七日現在。
25 松崎憲三編『東アジアの死霊結婚』岩田書店、一九九三年、一頁。
26 竹田旦『祖霊祭祀と死霊結婚』人文書院、一九九〇年。
27 桜井徳太郎「沖縄本島の冥界婚姻巫俗―ユタの関与するグソー・ヌ・ニービチ」『沖縄文化研究 五』所収 法政大学沖縄文化研究所一九七八年、四〜一二頁のち『沖縄のシャーマニズム』弘文堂、一九七三年。
28 上江洲均「〈後生結婚〉のこと」責任者・源武雄『沖縄民族同好会報』（17）、一九七一年、一七頁。
29 新垣智子「沖縄における女性の集団帰属をめぐって」『常民文化』（第16号）成城大学常民文化研究会、一九九三年三月、九四頁。

第四章　糸満漁民の足跡

【久米島町奥武島】

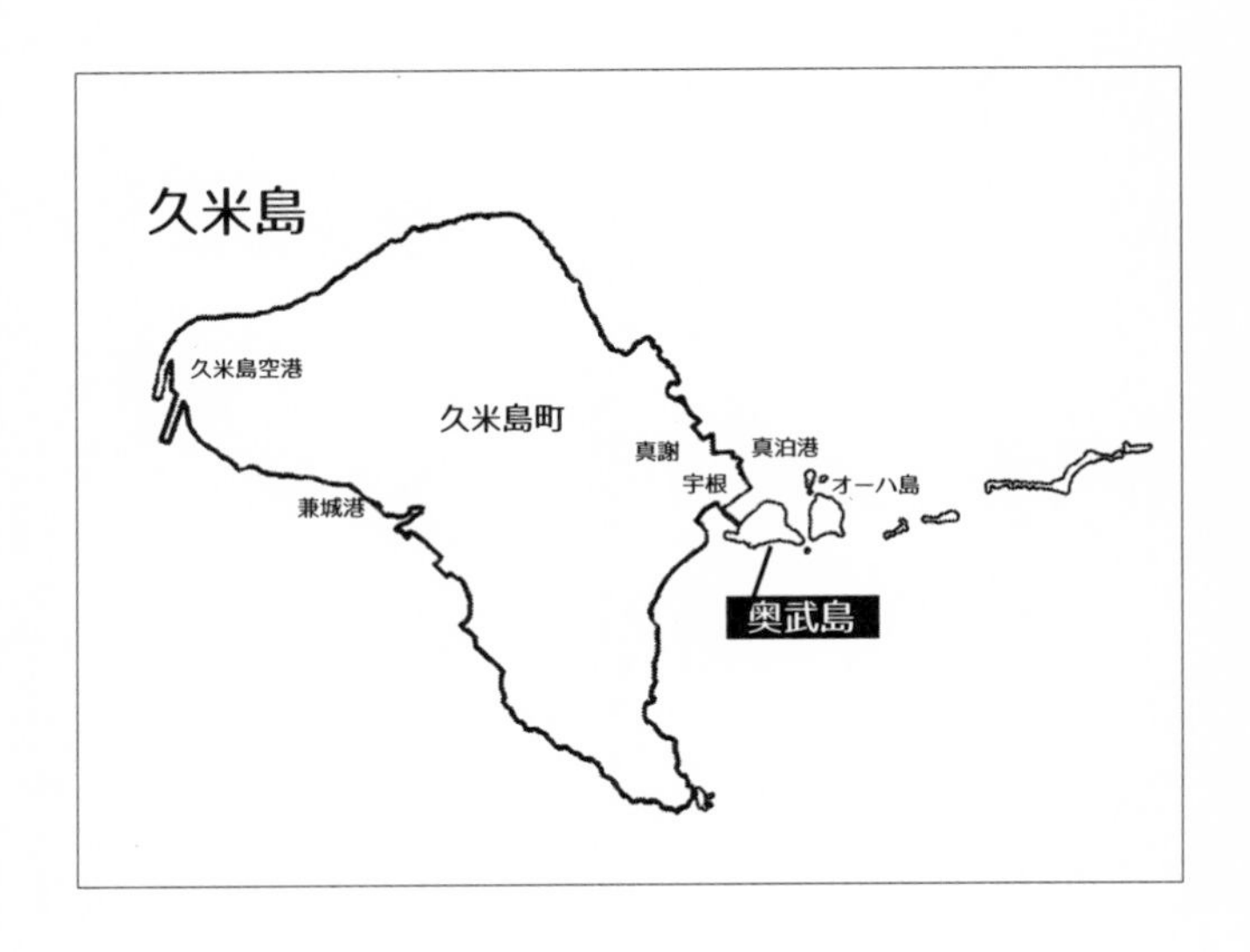

開拓者の父を見つめて

奥武島生まれの父

沖縄本島最西端に位置する久米島の東方沖合に浮かぶ小さな島、奥武島と久米島本島を結ぶ海中道路（全長六五〇メートル）が開通したのは一九八三年七月一五日のことだった。当時、地元の高校二年生だった渡口ゆかりさん（一九六七年生まれ）は、村を挙げての開通式の日のことを鮮明に覚えている。炎天下の祝賀会の中に父、上原幸一仲里村議の姿があった。地元紙はその父の喜びの言葉を伝えていた。「まさに夢のかけ橋です。我々はかつて自力で石をつみかさねて海中道路を作ろうと苦労した経験があるだけに今日のうれしさはひとしおです（注1）」

上原幸一さん（一九二八年生まれ）は奥武島に生まれ、竹馬や手漕ぎの船で通学した経験をもつ。沖縄本島の旧制中学に学び、帰郷後は自力で橋を作ろうと、島民総出で小舟をつないで海の大きな石を運び入れた。しかし翌日には潮に流されてなくなっていた。橋を架けることは島民にとって悲願だったのだ。

仲里村議会議員を六期、二四年間務め、漁業協同組合の組合長として養殖漁業に力を注ぎ、島の改革に取り組んできた上原幸一さん。村議会議長を務めることになった一九六五年、奥武島から海を渡っての任務が不可能となり、久米島本島の謝名堂に居を移した。そして現在、長女のゆかりさんは二児の母となり、夫である渡口榮吉さん（一九五三年生まれ）と共に年老いた父のもとに引き揚げ、海中道路でつながれた奥武島の土地で農業を営んでいる。

奥武島と共にその西に約四〇〇メートル離れてオーハ島（奥武の端島の意）があり、二つの島はかつては無人島だったが、明治初期の奥武島には糸満漁民が、オーハ島には渡名喜、粟国の漁師が定着していた。(注2) かつて土地の人びとは「オー」「オーハ」と呼び、二つの島は旧仲里村謝名堂に編成されていたが、戦後は分離されて独立した集落となり、現行区政では二字として西奥武（いりおう）、東奥武（あがりおう）となり、島名としては奥武島、オーハ島と呼称されている。二〇〇二年、仲里村と具志川村が合併して久米島町となり、新たな「字イーフ」が加わった。

久米島に本格的な漁業をもたらしたのは糸満、渡名喜、粟国出身の漁師たちであり、定着以前は仲里間切へ「津口銭（チグチジン）」を納めて漁獲していた。真泊も奥武島と同じく集落は廃藩置県後に出来たもので、臨時の漁業者が定住した集落である。大正初期までは夏から秋にかけてイカの漁期になると糸満やその他から続々とやってきて、掘っ建て小屋が浜辺に並び真泊はにわかに活気づいた。これらの小屋は臨時の漁業者のために、宇根や真謝の青年がこづかい稼ぎに建てて売ったもので、一棟二円内外で提供。それも間に合わずアダンの陰に舟の帆を張って小屋ができるのを待つほどだったという。(注3)

そうした糸満漁民の島に生まれた上原幸一さんは村議会議員を務めながら、クルマエビをはじめとする久米島漁協の養殖漁業に力を尽くしてきた。県外、本土との交渉など、自宅の電話は引きも切らずにかかってきた。その電話を受け、メモを取り父に伝えるのが小学生のゆかりさんの役目だった。夏休みは一日中電話の前に座っていた。いつのまにかゆかりさんはきれいな標準語を話すようになっていた。「小学校の低学年でしたので、電話で聞く標準語がいつのまにか私の耳に慣れていったのでしょうか」。

ゆかりさんは高校卒業後、東京の私立大学に進学、奥武島分校の教師であった母、節子さん（一九二六年―二〇〇七）の勧めで教育学部を専攻、沖縄本島で教職に就いた。二歳違いの兄（一九六五年生まれ）はすでに本土で家庭を築いていたので、いずれ島に戻ることは覚悟していた。二〇〇二年、母が高血圧で倒れ寝たきりの状況を迎えた。独身のゆかりさんは那覇と行き来しながら母の介護に当たっていた。那覇で歯科技工士として働いていた渡口榮吉さんと二〇〇六年に結婚。介護の甲斐なく母は逝った。その翌年、長女のナナヨちゃん（二〇〇八年生まれ）に恵まれた。元気に産声を上げたわが子はダウン症候群という障害をもって生まれてきた。しかし元気で愛らしい新生児だった。ゆかりさんは思いを込めて「ナナヨ」と名付けた。夫の母、渡口ナヨさん（一九二四年―二〇〇九）の名にあやかった。こんな女性になって欲しいと願った。常識にとらわれない自由な精神をそなえた義母だった。次女、ソヨちゃん（二〇一〇年生まれ）も同じ思いから義母の名にちなんだ。

年老いていく父を一人暮らしにしてはおけない。「生活は苦しくなるけど島でゆっくり子どもを育てよう」と夫が言ってくれた。専門職を投げ打って農業に転職するという夫の選択に感謝した。

旧制開南中学から学徒隊に動員

ゆかりさんの父、上原幸一さんの人生は、戦前戦後の過酷な歴史を一身に背負ってきた道のりでもあった。「糸満出身のオヤジですから、うちの屋号は〈亀仲大殿内（カミナカウールンチ）〉といいます。ですけど一般に通用しているのは〈チニングヮー（知念小）〉です。つまり父は糸満から知念村（現南城市字知念）に糸満売りされたわけです。知念はイカ釣りの盛んな所で徴兵検査の満二〇歳まで知念で雇われ、独立して奥武島で漁業をしていたのです」。

「奥武島海中道路」を渡った奥武島で農作業をする渡口榮吉さんとゆかりさん夫妻（2019 年）

幸一さんは九人兄弟（四男五女）の四男で、兄たちはフィリピンやシンガポール、サイパンなどへ出稼ぎに出た。

父の期待を担って幸一さんは一九四三年、戦前の沖縄で唯一の旧制私立中学であった私立開南中学校（真和志村字与儀樋川原・現那覇市樋川）に入学。しかし戦況は悪化、四四年には、下宿をしていた那覇の家族が熊本県へ疎開。糸満の親戚の家に寄宿し、中古の自転車で一時間かけて通学した。そんなある日、午前六時に家を出て、学校に向かう途中で、突然機銃掃射を受ける。一〇・一〇空襲だ。目の前にあった橋の下に避難した。爆撃が終わった午後三時四五分（午前六時四〇分から約九時間にわたる攻撃）まで、じっと暗渠の中で息を潜めていた。

那覇の市街地の大半は焼失し、製糖工場の砂糖が広範囲に溶けて溶岩のように炎を上げていた。焼け残った開南中学の校舎は沖縄陸軍病院が使用するようになったため、学校本部は真和志村識名（現那覇市）の教頭住宅に移転し、生徒たちは陣地構築作業に動員される。(注4) 日本軍は沖縄戦作戦に備えるため、一九四四年一二月から県当局と協議し、中学校下級生に対しては通信訓練を、女学校上級生には看護訓練を実施すること。身分は軍人及び軍属として取り扱うとした。(注5)

幸一さんの学校でも一九四五年一月、第二十四師団の将校三名と軍曹三名が訪れ、二年生と三年生に対し通信隊要員の適性検査が行われた。約二〇〇名の中から四八名の生徒が合格し、暗号、有線、無線の三班に分けられ、電信機の取り扱い方や電話機の分解組み立て、モールス信号などの訓練を受けた。(注6)

通信隊の適性検査に合格した幸一さんは「背が高く細かったので、体力なしと見られたのか、私は暗号班に配属され、沖縄戦末期に第二十四師団の本部となった糸満市の与座岳（首里を放棄した日本軍の防御地）の兵舎で暗号の読み解きを習っていました」。

そして、米軍が上陸した戦闘のさなかの四月三日、幸一さんは機銃掃射を受けながら幼友達と戦線離脱を決行。二人で自転車を一昼夜相乗りしながら家族が疎開していた恩納村の小学校にたどり着いた。同年八月、恩納村の防空壕で米軍に捕らえられて石川捕虜収容所へ送られ、収容所では軍作業に駆り出される毎日だった。

他方、上級生の四年生、五年生（二四〜二五名）は、鉄血勤皇隊として第六十二師団独立歩兵第二十三大隊への入隊が決められ、激戦地となった宜野湾や浦添に配置されていた。入隊したと思われる開南中学生は全員戦死。そのため実際の入隊員数や戦闘中の詳細な行動は不明となっていた。(注7)

しかし二〇一九年一一月、沖縄学徒の新たな名簿が発見され公開された。その中にこれまで動員数や死者数が不明とされていた私立開南中学校の名簿があったのだ。「未帰還者名簿」として七一人分の氏名や住所、所属部隊名などが記載されている。報道によれば、(注8)那覇市立松城中学校の大城邦夫教諭が国立公文書館で入手したもので、厚生労働省から二〇一七年度に同公文書館に移管された資料だという。一方、開南中学同窓会では、動員され犠牲者となったのは一九〇人だとしており、今後の実態解明が求められるが、公的資料として活用される第一歩となった。

久米島町謝名堂の自宅で長女と孫娘に囲まれて穏やかな老後をすごす上原幸一さん（2019 年）

サトウキビと養殖漁業

一九四五年一〇月二三日、米軍政府は、指令二九号「住民再定住計画及び方針」を公布し、住民を収容所から旧居住地に移動させる計画を示した。同年一一月から住民たちの移動が開始され、幸一さん一家は奥武島を引き揚げ、糸満に定住する選択をした。幸一さんは一九四六年一月に創立された糸満高等学校へ編入。卒業後もアメリカ統治下の沖縄で定職にもつけず、将来を見通せない生活の中で幸一青年が希望の光を見出したのは、過疎になっていくふるさと奥武島だった。戦前は五〇戸から六〇戸はあった島の世帯数が激減していた。『仲里村住民登録統計綴』(注9)によると、一九六一年の西奥武の世帯は二二戸、以後順次減少し本土復帰の一九七二年までには漁民家族の多くが引き揚げている。奥武島を忘れられた島にはしたくなかった。二六歳で決意すると自力で西奥武の土地を三〇〇〇坪購入。九〇〇頭ほどの山羊を購入して飼育し一〇〇〇頭に増やした。数年して幸運にも久米島に製糖工場ができるという情報を得る。

一九五九年一〇月の発起人会を経て、一九六二年一月、久米島製糖株式会社が竣工し製造が開始された。同年一月一四日の工場落成式には花火が打ち上げられて島を挙げて祝われた。(注10)

上原さんは奥武島でサトウキビを栽培できないかともくろむ。当時残っていた二二世帯の漁業者に相談し賛同を得た。キビ畑にするためには地ならしをしなければならない。さっそく製糖会社に話を持ちかけると全面協力を受けることになった。干潮時を利用してブルドーザーやトラクターが島に運び込まれた。

事実、当時の仲里、具志川両村は製糖会社ができて以来、サトウキビを中心とする新たな基幹産業の開発に打ち込んでいた。同時に一九六〇年から久米島では土地改良事業が進められており、総合開発計画に基づいた大がかりな山地開発が行われ、ブルドーザーやトラクターが島全体に轟音をとどろかせている状況だった。(注11)

実践力を認められた上原幸一さんは周囲から望まれ、また自らも島を改革したいという意欲をもって三四歳で仲里村議会議員に立候補する。一九六二年九月、一六八票を得て一票差で当選した。

仲里村議会は村行政の意思決定機関で村民の直接選挙（四年に一回）によって選ばれた一六人の議員によって構成されている。上原さんは二期目には議長に就任、一九六六年九月から一九七〇年九月まで議長を務めている。(注12)

仲里村の一九六二年から六三年のサトウキビ耕作面積は二万一三九八アール、生産量一五九七万六八八八kgだったのが、土地改良がおこなわれた一〇年後の一九七六年から七七年の面積は四万九七四九アール、生産量は四一一三万八〇〇kgにふくれあがっている。(注13)面積は二・三倍、生産量は二・六倍となった。

村議会議員としての任務（一九六二年から八六年）を終えたのは五八歳だったが、併行して仲里村漁業協同組合にも関わり、長期にわたって組合長を務めてきた。一九一六年に設立された「漁業組合」は一九五四年一〇月に「仲里漁業協同組合」と改称。一九七三年二月、組合は久米島一円を統合し、本土復帰による諸制度の変更に伴い、「久米島漁業協同組合」と改称され、組合員は一七八名（正組合員七八名、準組合員一〇〇名）の構成であった（一九七三年三月末現在）。(注14)

環境に恵まれた漁協ではクルマエビの養殖に力を入れており、上原幸一組合長は「育てる漁業へ」

かじを切っていた。幼いゆかりさんは、試行錯誤する父に連れられ、仮設養殖場の水門を開ける手伝いに駆り出されたのが休日の思い出だ。復帰記念事業の一環として、国や県の補助を受け、仲里村が建設した巨大なクルマエビ放流池（広さは二万三〇〇〇㎡、周囲は高さ三mのコンクリート塀で囲まれている）は、漁協が管理し、一九七五年には五〇万匹の稚エビが放流された。(注15) パヤオや集魚灯によるマグロ類の一本釣りとならんで、現在も養殖クルマエビは県内一位を誇っている。(注16)

しかし順調な養殖業に牙がむけられることになったのは、大規模な土地改良だった。すでに沖縄本島北部で問題になっていた「赤土汚染」だ。一九七八年一一月の大雨時には赤土が久米島一周道路にまで流れ込んだ。沿岸は成人の腰の高さまで赤土へドロが堆積し、漁協が進めていた天然モズクは全滅状態になった。(注17) 対策に苦慮した久米島では、研究機関や研究者によって「久米島応援プロジェクト」(注18)が発足。二〇〇九年一〇月から三年間にわたって実施された。「赤土」をキーワードにした各種環境調査の実施、これらの調査結果をもとに保全団体や行政、久米島町、地域住民と連携しながら各農家、住民に対して赤土等流出防止対策の実践指導が行われた。改善した現在でも久米島町役場では「大事な耕土は流されていませんか？」と呼びかけ、農家自身ができる対策として「側溝のふちギリギリまで耕さないこと。側溝が壊れたらすぐに直すこと。農地に防止版の設置やグリーンベルトの植栽をすること」などの対策を推進している。さらに「久米島赤土対策協議会」では沖縄県の事業を活用した耕土流出防止の援助も行っている。(注19)

島の復興のために奮闘した父とその生涯を支えてきた娘。二〇〇一年一一月三日「勲五等瑞宝章」

を授与された父の功績は、その長い道のりの証であることは確かだ。しかし、ゆかりさんは、九二歳を迎えた高齢の父と成長していく娘たちの将来を考えると、奥武島での暮らしの先行きが見えず、葛藤の日々であるという。

民宿「あみもと」物語

与那国島から嫁いで

久米島本島と奥武島を結ぶ海中道路を渡ると民宿「あみもと」がある。かつて定住した糸満漁民と多くの雇い子で栄えた漁民集落は、現在、観光の島となった。東北楽天ゴールデンイーグルスの春季久米島キャンプも、球団創設以来一五年目となり、町は球団関係者と見学者でにぎわう。私が訪れた二〇一九年二月初旬はキャンプ期間に当たり、民宿を切り盛りする宮里むつ子さん（一九五九年生まれ）は大忙しだった。

二男四女の六人兄弟の四女として生まれたむつ子さんのふるさとは日本最西端の地、八重山の与那国島南部の比川（ひかわ）集落だ。その彼女が奥武島に嫁いだのは一九八五年のことだった。「台湾に近い国境の孤島に生まれたあんたが、よりによってまた久米島の小さな島に嫁ぐことになるなんて」と姉は笑いを込めて祝福してくれた。

地元の久米島漁協の職員（参事）を二〇一九年定年退職し、運営側の代表理事専務を務めている夫の宮里真次さん（一九五八年生まれ）との出会いは高校二年のときだった。中学卒業後、県立那覇高校の衛生看護科に進学したむつ子さん。奥武島に生まれた九人兄弟の次男、真次さんは県立沖縄水産高校へ。高三と高二の二人は那覇の街で出会う。その後真次さんは大型船航海士を養成する同校専攻科（漁業科）の定員一〇名という狭き門を通り進学（二年間）。卒業後は約束された船長職への夢はあったが、ふるさと久米島漁業協同組合に就職。当時組合長を務める上原幸一さんの勧めによるものだった。同じ奥武島出身で、漁協の改革に奔走してきた尊敬する「幸一おじさん」に従う形になった。

奥武島で民宿「あみもと」を切り盛りする与那国生まれの宮里むつ子さん（2019 年）

他方、高校の専攻科課程終了によって准看護師の資格を得たむつ子さんは、教職に就いていた長女姉を頼り、沖縄を出て神奈川県の東海大学病院に勤務、病院の寮で新たな生活を始める。仕事のかたわら養護教諭の資格も取得。二人はそれぞれの道を歩みながらも遠距離交際を続けていた。そんなある日、真次さんから久米島仲里村の美崎小学校（現久米島町立）に、臨時の養護教諭の席があるとの誘いを受け、はじめて真次さんの住む久米島を訪れる。臨時職を一年、さらに診療所で二年。知り合って九年を経て一九八五年に二人は結婚、同時に真次さんが計画していた民宿「あみもと」の経営に当たることになった。

その二年前の一九八三年七月に海中道路が開通、島は久米島本島と陸続きになった。両親と共に島を出て仲里村謝名堂で暮らしていた真次さんは、奥武島の生家の跡地に民宿を建てる決意をする。

「貧しかったけれど島は私の精神的な原点。竹馬や手漕ぎの舟で海を渡って通学した中学までの体験が現在の自分を培ってきた。また糸満売り体験を持つ父と母の苦労の足跡を消したくはなかった。アギヤー（大型追込網漁）の潜りの達人といわれる海人として、四男五女の九人の子どもを育ててくれた両親への思いを込めて民宿の名は〈あみもと〉とすることも初めから決めていた」。

しかもこの地は、雇い主から購入した土地でもあった。

島を挙げての祝福を受けて結婚した翌年の一九八六年に長男、真太郎さん、一九九一年に長女の夏実さんが誕生した。食堂の壁に小学生になった我が子の写真を貼り、「真太郎は一八年ぶりに西奥武で生まれた子です」と書き添えた長男も、もはや一女の父となり、島はむつ子さんの第二の故郷になった。

一九九三年から五年間、西奥武地区の区長も務めた。久米島で初の女性区長だった。看護師と養護教諭の経験を活かし、お年寄りの健康にも気を配り、島の活性化を願った一九九五年末の西奥武の住人は九世帯二一人(注20)だった。

竹馬通学とランプ生活

真次さんが奥武島で過ごした少年時代は、久米島への橋はなかった。久米島本島の仲里村中学校までは、海中を竹馬と手漕ぎの小舟で通学した。奥武島に小学校の分校が開設されたのは一九四〇年のことだ。四年生以下の男子一一名、女子一八名、計二九名の児童でスタートした。一九五七年に二教室が増設され、低学年の学童が学んでいた。(注21)

「僕の時代は琉球政府から通学用のボートが与えられていました。四年生までが分校で五年生から久米島の本校へ通うので、中学生が責任をもって小学生を運びます。朝は潮が満ちて、下校時には潮が引という通学路(約八〇〇メートル)なんです。ボートは奥武島から二〇〇メートルほど離れた海水の残る場所に、アンカーで固定しておきます。朝は竹馬に乗ってそのボートを取りに行き、小学生が乗り降りできる砂浜近くまで漕ぎ寄せて、久米島本島の対岸まで送ります。

小学生を渡し終えたら、そのまま島にとんぼ返りして、もとの位置に船を固定し、竹馬に乗って学校へ向かうわけです。久米島に着いたら護岸の下に竹馬を保管して登校するのが日課です。中学三年生がリーダーとなり、すべての責任を担います。漁業で忙しい親たちを頼ることなどだれも考えることはありません。子どもたちの結束は固かったですよ」と、真次さんは当時を懐かしむ。

竹馬は足を載せる部分までの高さが約一メートル。その高さや速さを競い合い、バランス感覚を養いながらの海中通学路。途中で疲れると、友だちと二人で向き合ってお互いの竹馬を合わせ、頭を突き合わせて小休止する技術も会得した。海と向き合う生活は子どもたちに独自のテクニックを植え付けた。海がシケて、風波一〇メートルを超えれば通学は不可能だ。学校は休みになり、家の手伝いについやされる。

奥武島育ちの宮里真次さんと学び舎仲里小学校分校がいまは牧草小屋に　(2006 年)

島にはテレビも電気もなくランプ生活だった。電気が通じたのは、仲里小学校の発電機の中古品が導入されたときだ。教員住宅にアンテナが取り付けられテレビが一台置かれた。一〇歳の真次さんが学友全員でそのテレビの前に並び、映像を見たのは、記念すべき一九六八年八月の「興南旋風」だった。第五〇回全国高校野球選手権大会で、沖縄のチームとして初めて準決勝に進出した私立興南学園興南高校野球部が、ベスト4まで勝ち上がった甲子園のドラマは全国的なニュースになった。(注22)

その後本格送電が始まるが、強い台風が襲えば電柱が倒れ、島はもとの暗闇になる。現在は海中道路に送電線を埋め込む改修工事が完了し、停電の不安はなくなった。(注23)

真次さんは、二〇〇六年一月一九日、久米島漁協を訪れた私をかつての分校に案内してくれた。教室は牛の餌の枯れ草小屋になっていた。

「橋が架かる前までは、そっくり残っていたのに。教材から机も椅子もあった。ここは高台で一番見晴らしがいい場所だし、掃除をしようと思っていたが、ガジュマルも相当大きくなっていて簡単にはいきそうにない」と残念そうだった。

糸満売りされた両親

真次さんの父、宮里真市さん（一九一四―一九九九）は宜野湾出身。尋常小学校三年のとき、糸満から宜野湾にアギヤーで出漁してきた金城満子（屋号・徳前沢岻）という親方に雇われた。長男の金城牛一（一九〇六年生まれ）も加わるニンジュ（漁労組織）だった。

愛称カナグヮーと呼ばれた真市少年は幼いころから親方マンクーの存在を知っていた。毎年宜野湾で長期漁業をする糸満海人の親方に、父が家を提供していた間柄だった。

「海岸沿いの貧しい土地ですからね。父の真市は自分から進んで糸満売りされたと言っていました。家族を連れて奥武島に定住したマンクー親方の周囲は親戚だらけであることからも、糸満から呼び寄せの形で漁民が増えていったと思います。父も奥武島で雇い時代を過ごし二〇歳で年季明けして、徴兵検査で南方（東南アジア）の戦場へ出兵。郷里の兄弟たちも沖縄戦で全部死んでしまった。宜野湾は激戦地でしたからね。戦争が終わっても帰る所がないので雇い親のところへ戻ってきたそうです」と真次さん。

真市さんに限らず奥武島で栄えた漁家には八人から一五人くらいのヤトゥイングヮがいた島だ。伊江島、伊平屋、伊是名、平安座、知念村などから糸満売りの対象者を探す仲介業者がいた。

母のセイさん（一九二六―二〇一三）もヤンバル国頭村佐手の出身で、イナグヤトゥイ（女子の雇い）として奥武島に糸満売りされてきた。二〇〇六年二月一八日、私は元気なセイさんを訪ね、体験を伺っていた。決して楽ではなかった長い人生の道のりを、誇張することなく、淡々語り続けるセイさんのことばに、私はただ聞き入るばかりだった。

「実家は山奥の農家でやせた畑を耕し、焚き木を集めて販売して難儀でした。尋常高等小学校を出て一五歳のとき、糸満の人がヤトゥイングヮを探しに来ていたので、自分から申し出て奥武島に糸満売りされてきました。来てみたら余計難儀でしたけどね。雇われたのは〈ハバキヤー〉という家で、上原亀一という親方でした。妻は金城マンクーの長女カメ（一九〇一年生まれ）という人でました。私はハバキヤーの女主人の店を手伝いながら豚の飼育、水汲みなどの炊事に使われました。泡盛など日常雑貨の店を開いていたの。海人の雇いも二人いて魚は雇い主の長女が売りに行っていた。水汲みも山のてっぺんまで一日七回は往復しなければならなかった。畑もいっぱいあって、蚕も養っていた。島では糸は紡がずに繭で売っていたので桑を採って蚕を育てました。奥武島では二カ所で蚕を飼育していました」と、セイさんは、まるで昨日のことのように語り出した。

セイさんが雇われたハバキヤーの女主人と、真市さんが売られた親方の金城マンクーは親子関係で、屋号「徳前沢岻」は第三章に登場した糸満の赤比儀腹門中の神人、安室シズ子さんの母の生家だ。四歳のとき家族と共に奥武島に移住したシズ子さんは、働き者と評判のセイさんとは八歳違いで「セイネーネー」と呼んで親しんだという。

敗戦を迎え、年季明けになっても、ふるさとへ帰る術はなかった。混乱期の奥武島で船の手配や交通の方法も見つからず、雇い主の元に身を寄せる以外なかった。お互いの雇い主の話し合いによって、二一歳で結婚した。セイさんは戦後まで夫となる真市さんの存在を知らなかった。「いつも親方や雇い仲間たちと魚を追って各地の漁場を夕ビしているわけだからね」。

新居は親方の敷地内を借りて別世帯になった。夫が漁獲した魚は妻が売らなくてはならない。久米島を一周して売り歩いた。

「オトウはアギヤーの潜りの名人と評判でした。海底三〇尋（大人が両腕を広げた長さとして定義された身体尺、一尋は約一・八メートル）も潜って網を仕掛けるんです。素潜りのチャンピオンでしたよ」とセイさんは夫の技を誇る。アギヤーの網の設置は深みから浅瀬に向かう瀬に潮流に逆らって袖網を張り、それから魚類を追い込む袋網を設置する。さらに袋網と袖網を結び合わせる海中での作業は優れた力量の持ち主でないと務まらない。セイさんは詳細に夫の仕事を説明する。「袋網を仕掛けるには重石をつけて下ろしていき、引き上げるときはその仕掛けがゆがんだり破けたりしないように作業するので相当の技術がいる。潜りの専門家でないとできないんです。アギヤーで鍛えられた技はどんな漁業でも通用しました」。

島の未来を担う

結婚後のセイさんは初めてカミアキネーを体験することになった。「潮が満ちてきたら冬でも胸まで浸かって魚をカミティ（頭に載せて）、久米島じゅうのあの家、この家を回って売りました。現金で買う人、後払いの人、物々交換の人といろいろだからそれは大変でした。畑も借りて主食のンム（芋）から野菜まで栽培し、農業と魚売りで九人の子どもを育てました」。結婚して翌年の一九四七年に長男が生まれ、次つぎと子どもが生まれた。長男は中学を出るとすぐ父親と一緒に海を歩いた。

「親の苦労を見て育っているから、みんな親に尽くす子どもに育っていきました。長男の担任の先生が高校へ出しなさいと、三回も四回も来ていたけど、本人の意思は固く、父親に習って漁師になりました。一一歳違いの次男の真次も小学校一年から毎日海に引っ張り出された。小さいときから網の手入れ、海中作業の手伝いと、みんなが手助けする。女の子は学校から帰るのを待ちかねて、畑へ連れて行った。どこの家もそうでした。みんな子沢山で貧しいのだから仕方がなかったんです」。

魚売りは唯一の現金収入だった。一九六五年初頭になるとしだいに経済も落ち着いてきて、奥武島には現金があるとうわさが流布するようなる。島の外から多く人が借りに来た。売り上げの会計を担っていたセイさんも、かなりの損失を負った経験をもつ。

奥武島には貧しい農村地帯や離島から糸満売りされ、一人前の海人として成功した人は多い。真市さんもその一人で、親方マンクーの屋敷、五〇〇坪を購入、その土地に次男の真次さんが民宿を建てた。真市さんはアギヤーを引退した後も、八五歳まで刺し網と定置網を専門に営み、生涯海人だった。セイさんが長男一家と久米島本島に移住したのは一九七〇年代のことだ。

そんな夫の両親が残した足跡ともいうべき民宿「あみもと」を守ってきたむつ子さんも、還暦を迎えた。再出発をするためにもこれまで振り返ることのなかったふるさと与那国への家族旅行を計画した。二〇一九年七月二〇日から二三日までの四日間、はじめて民宿を休館にし、夫の真次さんと長男真太郎夫妻とその長女、成ちゃんとの五人旅を終えた。むつ子さんの帰郷を記念して与那国島恒例の同窓会が開かれた。前夜祭、観光旅行、大宴会と五〇人が集まっての大イベントだった。夫、真次さんがふるさとを精神的な原点だとする真意が理解できた。むつ子さんにとっても与那国は再生の地であり、第二のふるさと奥武島がより身近な存在となったと、むつ子さんは語る。

聖なる島

死者はサバニで対岸へ

奥武島は神聖な島（セジ高い島）といわれる。「この島では不浄を忌み、死者は現在でも潮を渡って対岸に葬っている」[注24]のだ。島には「あふ御嶽」（奥武御嶽）があり、御嶽の背後には雑木が生い茂り、大きな岩が聳え立っているという。[注25]

琉球の地誌『琉球国由来記』では「アフ御嶽　神名、カヤウサノ御イベ」[注26]、『琉球国旧記』には「阿符嶽」[注27]と記載され、『仲里間切旧記』には神名「あふ森、よ祢乃森」とあり、「あふ」は「おお」、「よね」は「砂の意」と説明されている。[注28]沖縄本島各地に「奥武」の名を持つ島は久米島町のほか、南城市、名護市、座間味村、那覇市奥武山町などがあり、この奥武の「あふ、アフ」を、仲松弥秀は「青」であり、古代の葬所なっていたと推定する。古代沖縄人はニライ・カナイを「青の世界」と観て、死者の往くところは暗黒の世界ではなく、「うすぼんやりした」明るさと通ずる「青の世界」と想念していたとする。[注29]谷川健一も、五つある沖縄本島およびその属島の小島が青の島とよばれていたことは琉球の古書から明らかであり、久米島の奥武島もかつては青の島と呼ばれていたとし、他界は現世の延長であるとみなされていたと論じる。[注30]とすると、この島がいつから死者を対岸に葬るようになったかは定かでないが、聖なる島であることに変わりはない。

糸満を出自とする奥武島に暮らした人びとは、死後は歳月を経て共同墓であるふるさとの門中墓に祀られる。奥武島に限らず遠く八重山など沖縄各地に分村を形成した糸満一家は、居住地に仮墓を設けて埋葬し、火葬以前は洗骨を済ませた数年後に門中のトーシー墓（当世墓・本墓）に合祀される。洗骨儀礼はチュラクナスン（美しくする）、あるいは祖霊の仲間入りをするという意味から、ウィーンカイアギーン（上にあげる）という呼称もあるという。[注31]

糸満ではトーシー墓のほかに、遺体が朽ち洗骨ができるまで安置するシルヒラシ墓（仮墓）を設置している門中もあり、火葬になった現在でも遺骨の仮安置場所として使用され、年に一度のジョーアキー（墓開き）の日に本墓に合祀されている。

洗骨の記憶

「奥武島で母が亡くなったのは戦後の一九六四年でしたけど、それは大変でした。遺体をサバニに乗せて対岸の久米島まで運んでいきました」と語るのは上原秀さん（一九二五―二〇一二）だ。久米島で火葬場ができたのは一九七九年のことである。[注32]

糸満の人びとが利用した対岸の仮墓は「ヤンガー」と呼ばれる海を臨む原野だった。真泊の港を過ぎて正面に奥武島を見ながら進んで行くと、左手の海岸端に木麻黄（モクマオウ）の林があり、この林の中にき拝所がある。真泊集落の東の外れからこの拝所辺りまでをヤンガーと呼んでいるという。(注33)幼いころ、ヤンガーに埋葬された祖父（屋号・満加浦添《マンカーウラシー》）の洗骨に立ち会った経験をもつのは金城節子さん（一九三九年生まれ）だ。「当時はまだ、七、八歳の子どもでしたけど、男の人たちが棺箱を担ぎ出し、母が中心になって洗骨した様子はとても言い表すことはできません」と語る。遺体はすぐ下の浜に運ばれ、ビンのかけらで遺体の付着物をそぎ取り、洗骨後はジーシガーミ（厨子甕）に入れて墓内に納めた。

おもに洗骨は女性の手によりなされた。「イナグヤ（女は）ナナバチ（七つの罰を）もって生まれる」と例えられるほどに苦しい慣習だった。(注34)祖父の遺骨は戦後も数十年を経て所属する浦添腹《ウラシーバラ》の門中墓に合祀されたという。

「奥武島に住んでいるときは糸満の慣習に従って、旧暦七月七日のタナバタには、ヤンガーへ行って墓を掃除し、お盆の一三日ソーローウンケーでは祖霊をお迎えして、一五日のウークイにお送りするという慣習はやっていましたからね」と節子さん。

秀さんも、「奥武島で死んだら本当に大変です。父（亀仲大殿内の上原亀次郎さん）は次男だったので、財産もなく苦労した人でした。たくさんの子どもを糸満では養いきれないということで、奥武島に嫁いでいた父の実姉である金城のおば（前沢岻《メータクシ》）に呼び寄せてもらったんです。漁場に恵まれた奥武島で父は漁に出て、母と子どもたちはヤギ五頭、豚一〇頭を飼って現金収入の道を得て、やっと暮らしが立つようになったんです。奥武島を安住の地と考えていた父でしたが、母の埋葬を済ますと、こっちで死んだら家族に難儀をかけて大ごとだといって、所有した土地すべてを一〇〇〇ドルで売却して糸満へ引揚げてしまったんです」と語る。

一人息子を残して戦死

秀さんと三歳年上の玉城ノブさん（一九二二―二〇一三）は、共に奥武島で育った四男五女の九人兄弟の姉妹である。二人は一〇代で結婚し、短い新婚生活ののちに夫は戦死、一人っ子の遺児を育てるという、期せずして同じ運命をたどることとなった。「どこの家にも子どもは一〇人以上いたこの時代に、姑も私たち姉妹も息子一人だけなのです」と嘆く。

姉のノブさんが一九歳で嫁いだのは糸満出身の寄留漁民の集落、久米島真泊の若き海人、玉城清さん（一九二二―一九四二）だった。清さんの父もセレベス島（現スラウェシ島）へ出稼ぎに行き、現地召集に取られ戦死。公報もないまま、母は四〇代で未亡人になった。働き者の母は豆腐屋を営み、畑も一〇〇〇坪所有して一人息子を腕利きの海人に育てた。その清さんと結婚したノブさんは、「昔の女は本当に立派よ」と姑を賛美するが、因果なことにノブさんにも同じ運命が待ち受けていた。

短い結婚生活だったが夫の清さんは奥武島のアギヤーニンジュ（漁労組織）に、自分が所有するサバニを持参して参加していた。アギヤーは数隻のサバニが集まって操業する集団漁法である。サバニの所有者は船の最後尾に乗り舵取りをすることからトゥムヌイ（舵取り）と呼ばれ、船団をまとめ指揮する人をテーソー（大将）、またはセキニンといった。大量に漁獲する魚の販売はニンジュの妻たちが担う。ノブさんも真泊から奥武島に通って魚を受け取り、久米島本島で売り歩いた。

「糸満と同じで販売の儲けは二割が販売工賃ですよ。『お魚もって来たよ！　ハイハイ、早く買って！』と言って呼び込めば、みな集ってきてくれる。農村では魚が高級食材だから飛ぶように売れましたよ。

帰りは日が暮れて胸まで潮が満ちてきてね。奥武島の対岸には世帯ごとに〈タチズ〉といって、合図する場所が決まっていて指笛を吹いたり、タオルを振ったりして家族に知らせます。夜になってしまったら、藁を焚いて知らせれば家族がサバニで迎えに来ます」。

優れた若き海人であったノブさんの夫、玉城清さんは結婚数ヵ月の一九四一年、二〇歳を迎えると太平洋戦争開戦により、鹿児島の部隊に召集され満州（中国東北部）の戦場に送られた。翌四二年に戦死の公報が入った。父の存在を知らぬまま長男清秀さん（一九四一年生まれ）は誕生した。

「だんなさんの記憶は残念ながらないんです。結婚したかどうかも覚えがない。まぼろしのようにすれ違って行ってしまった」とノブさん。

息子の清秀さんは沖縄県立沖縄水産高校へ進学、しかし海の仕事には就きたくないと告げられる。

「ああ、いいよ、海人にならないのなら、なにか免許を取ってきなさい」と母のノブさんも同意。そのための資金にと一〇〇ドル用意した。清秀さんは高校在学中に大型ボイラーの資格試験に合格し、卒業と同時に製糖工場に就職した。「息子は一〇人分の親孝行するさあ」とノブさんは、一人息子を誇らしく語る。

そして妹の秀さんが嫁いだのはアギヤーのセキニンを務める上長嶺（ウィーナガンニ）の家だった。夫となる人は当時一九歳になったばかりの次男の上原三郎さん（一九二三―一九四四）。新婦の秀さんは一八歳だった。お互いの家も近くで縁戚であり、幼馴染みだった。姉と同様、三郎さんの召集を控えて親同士が急いだ結婚だった。

「私は妊娠四カ月でした。おなかに子どもがいるのもわからんで北支（中国北部）に連れていかれて戦死してしまった。一九四四年に生まれた長男、幸三郎はまったく父親の顔を知らないし、お父さんということばも使ったことがありません。でもねえ、兄弟一〇人分もの親孝行者ですよ」と、姉妹はまったく同じ言葉で息子を語った。

「玉城」と読める表札が残る奥武島の廃屋（2006 年）

糸満漁民の屋号と足跡調査

私が久米島調査に通った二〇〇五年から二〇〇六年にかけて、空港の送り迎えから、久米島漁協、仲里村役場仲里庁舎（現久米島町役場）などでの資料収集、聞き取りなど全面的にお力添えを頂いてきたのが前述の上原幸一さんだった。その上原さんが私を送ってくださった空港での待ち時間に、戦前戦後に居住した糸満漁民を中心とした三〇戸の通称をメモしてく

奥武島（西奥武）に居住した屋号と門中ー糸満を中心にー

	通　称	屋　号	奥武移住と親族関係	腹・門中
1	メータクシ	加那前沢岻（カナーメータクシ）	前沢岻の次男金城加那。前沢岻に亀仲大殿内上原亀次郎の長女姉が嫁ぐ。亀次郎（チニングヮー）はこの金城の姉を頼って奥武島に移住。	赤比儀腹
2	トゥクメー	徳前沢岻（トゥクメータクシ）	前沢岻の次男金城亀が分家して創設。長男金城満子（マンクー・明治5）。妻ナベ（明治14）は前仲大殿内の長女。宜野湾出身の宮里真市（カナースーグヮー）が糸満売りされた家。現在民宿あみもとの土地は真市がマンクーから購入。赤比儀腹門中の神人、安室シズ子の母の生家。	赤比儀腹
3	ハバキヤー	八重山長嶺（エーマナガンニ）	八重山長嶺の上原亀一。亀一は沖縄本島を行き来しながら商品を仕入れていた。1963年8月17日、那覇泊港から久米島に向けた定期貨客船「みどり丸」の沈没事件で死去。亀一の妻は金城満子の長女カメ（明治34・ハバキーパーパー）で日用雑貨の「金城商店」を営む。ハバキヤーの名は妻カメが食事をかき込むように食べる大食家（ハバキー）だったことから付けられた俗称。国頭村佐手出身の宮里セイ（大正5）が糸満売りされた家。	幸地腹
4	グンゴーヤー	久米浦添（クミウラシー）	当主が酒飲みで5合（グンゴー）の酒を飲むことから名づけられた。徳前沢岻の金城満子の4女マカト（大正6）が嫁ぐ。	茂太腹
5	マンカーウラシー	満加浦添（マンカーウラシー）	満加浦添の長男として奥武島に生まれた大城亀太は妻クニと共にトラック諸島へ出稼ぎに。現地召集の後奥武島に戻る。1女3男兄弟の長女金城節子の父。「次良石垣」の上原マカトの生家で亀太は長男兄。	浦添腹
6	ジナンマンカーウラシー	次男満加浦添（ジナンマンカーウラシー）	大城亀造（明治44）。妻は門比嘉の4女ツル。復帰後糸満に戻る。	浦添腹
7	グンゴーヤーグヮー	西リ浦添（イリウラシー）	久米浦添からの分家。大城満章（亀小）の妻はミージローグヮーの次女カミ。その長女のカメは、西リ東風平の大城清光の妻。	浦添腹
8	ミーンジアガリエグヮー	新地東江小（ミーンジアガリエグヮー）	金城徳次郎（明治43　）の妻は金城満子の次女ウシ。ウシの長女は赤比腹門中の神人、安室シズ子。西奥武移住当初は妻の生家「徳前沢岻」の追込み集団に参加、後独立して潜り漁業に従事。	赤比儀腹
9	カナースーター	宜野湾出身	宮里真市。宜野湾出身。戦後雇い主の徳前沢岻（金城満子）の土地を購入、現在次男の真次夫妻が「民宿あみもと」を経営。	宜野湾出身
10	クンメーグヮー	仲南ン当（ナカヘーントー）	上原徳榮は通称クンメーグヮー（仲南ン当）の長男として誕生。字糸満のクンメーグヮーンジョーという路地名はこの家の通称に由来する。奥武島では父や親戚が行うアギヤーに参加。1952年に亀仲大殿内の長男（ニシチニングヮー）の上原亀一の次女信子と結婚。妻の両親が奥武島から引き揚げていた北谷で「糸満鮮魚店」を開き30数年経営。2001年糸満に転居。	勢理腹

11	テーワンヤー	久米茂太(クミムテー)	仲茂太の３男大城武太が久米島に分家して久米茂太となる。次女フジが亀仲大殿内の上原亀一に嫁ぐ。長女照子(昭和11)は亀仲大殿内(長男)の次女信子（仲南ン当の上原栄徳の妻）とはいとこ同士。	茂太腹
12	ニシ（北）チニングヮー	亀仲大殿内長男（カミーナカウールンチチョウナン)	亀仲大殿内の長男、上原亀一。妻はテーワンヤー(久米茂太）の娘。次女信子は「クンメーグヮー」上原徳榮に嫁ぎ､3女豊子(昭和18)は1964年「ミスユニバース沖縄代表」に選ばれ「トヨコ・ウエハラ」の名で米国占領下の沖縄で話題に。	大殿内腹
13	チニングヮー	亀仲大殿内四男(カミーナカウールンチユナン)	亀仲大殿内の亀次郎の四男上原幸一（昭和３）は村議会議員や久米島漁協組合長を歴任。島の改革に貢献。	大殿内腹
14	ウィーナガンニジナン	上長嶺次男（ウィーナガンニジナン)	上長嶺の当主、上原亀。上長嶺の次男、上原三郎（大正12）に亀仲大殿内２代目亀次郎の３女、秀（大正14）が嫁ぐ。秀が妊娠４か月の時出兵。北支で戦死。長男は幸三郎。	幸地腹
15	アガリナガンニ	東リ長嶺（アガリナガンニ)	東リ長嶺の上原文吉（船大工)。父が奥武島に居住。文吉は奥武島からトラック諸島へ出稼ぎに。ポナペを経て戦後奥武島に戻る。子どもは４男８女に恵まれる。	幸地腹
16	ムヤー	久米島茂屋（クミジマムヤー)	「茂屋」の４男上原亀が奥武島に渡って茂屋を名乗る。長男の上原満、次男亀、３男松、４男小末。小末の妻は満加浦添の長女ジル。長女ウシは満加浦添に嫁ぐ。	茂屋腹
17	ミーカイイヤー	西リ宇那志(イリウナシ)	通称「ミーカイヤー」(目を光らせている）の由来は、祖父大城三郎が厳格な人で何事に対しても目を光らせているような人だったから。(西奥武生まれの金城（旧姓大城）カメ（昭和４年）の証言。	宇那志門中
18	カンザーミーヤ	鍛冶屋新屋小(カンザーミーヤーグヮー)	金城姓。	鍛冶屋新屋門中
19	ミージローグヮ	ミージローグワー	玉城牛とナベ夫妻の次女カミは、西リ浦添の大城満章の妻。	不詳
20	ゾーヒガ	門比嘉(ジョーヒガ)	玉城萬太郎。	伊佐腹
21	カニハマゾー	兼浜門（カニハマジョー)	玉城康辰（昭和4)。康辰はエンジン２機を取り付けた独自の船づくりが得意で奥武島でも糸満でも異彩を放つ存在。	玉城門中
22	イリソーギレー	西リ笙家来（イリソーギレー)	当主の上原蒲一はサメ捕りの名人で、他の海人は１匹ずつしか捕ってこないのに、蒲一は３匹も捕ってきた。１匹は舟に載せ、２匹は舟で引いて。釣り針にエサを仕掛けて、「西リ笙家来ヤイビンドー（イリーソーギレーですよ」と言って釣り針を投げていた。それを他の人がまねて「西リ笙家来ヤイビンドー」と言うと、本当に鮫がかかったという伝え話もある。(2009年３月、次女の大城トシの証言より)。蒲一の４男、上原正重（昭和17）は現役の糸満漁協組合員。	幸地腹

だされた。その小さなメモを基本に、久米島漁協、糸満漁協のご協力を得て「組合員元帳」及び「組合員台帳」から関係者を抽出し、元奥武島居住者、門中関係者のご協力、および『糸満市史』の調査記録の提供によって糸満漁民の足跡調査を行った。

同じ苗字と血縁が多い沖縄の村落では、個人を特定するのに氏名はほとんど役にたたない。したがって重要な機能を果たすのは屋号である。沖縄では家のことを「ヤー」と呼び、ヤーはヤーンナー（屋号）を保有し、各家庭を識別している。加えて日常生活で使われるのが通称ある。例えば小柄な人だったのでクーンメー（小さいおじいさん）と呼ばれ、いつしか家の通称の「クンメーグヮー」となり、その住人が住む路地名は「クンメーグヮーンジョー」と呼ばれるようになる。

前ページに「奥武島（西奥武）に居住した屋号と門中」を挙げた。ここに表記した二二世帯は、かつて久米島の離島、奥武島に定着し、漁業集落を形成した糸満漁民の足跡の一端である。当時の島の様相が立ち上ってくるような通称、屋号、所属門中、親族関係は、重要な概念であることを改めて認識させられる。

〈第四章 注〉

1『久米島新聞』（一九八三・八・一五）仲里村史編集委員会他編『仲里村史 第五巻 資料編4 新聞集成』久米島町役場、二〇〇四年、六二五頁。
2 仲里村史編集委員会編『仲里村史 第六巻 資料編5 民俗』仲里村役場、二〇〇〇年、三〇頁。
3 仲里村誌編集委員会編『仲里村誌』仲里村役場 一九七五年、二九二～二九三頁。
4『沖縄戦の全学徒隊』（ひめゆり平和祈念資料館資料集四）二〇〇八年、一一五頁。
5 防衛庁防衛研修所戦史室編『戦史叢書 沖縄方面陸軍作戦』朝雲新聞社、一九六八年、六二一～六二二頁。
6 前掲『沖縄戦の全学徒隊』一一五頁。
7 同右一一四～一一五頁。
8『沖縄タイムス』二〇一九年一一月一三日、他各沖縄メディアが報道。
9 仲里村役場による『仲里村住民登録登録統計に関する綴』より西奥武島を抽出。
10『琉球新報』（一九六二・一・一六）前掲『仲里村史 第五巻 資料編四 新聞集成』二三五頁。

11『琉球新報』（一九六一・七・一四）前掲『仲里村史 第五巻 資料編四 新聞集成』二三五～二三六頁。

12『仲里村勢要覧』（一九七五年）仲里村役場、八頁。

13『復帰五年の歩み』「年次別さとうきび生産状況」一九七七年、仲里村、二二頁。
14 前掲『仲里村誌』一六八～一六九頁。
15「琉球新報」（一九七六・三・四）前掲『仲里村史 第五巻 資料編四 新聞集成』五〇七頁。

16「久米島の漁業の概要」（二〇一七年度末）久米島漁業協同組合提供。

17「琉球新報」（一九九九・四・二五）前掲『仲里村史 第五巻 資料編四』五六三～五六四頁。

18「久米島応援プロジェクト」ブログ活動内容は『久米島の人と自然—小さな島の環境保全活動』築地書館、二〇一五年。
19 久米島町役場ＨＰ（http://www.town.kumejima.okinawa.jp）「産業（農業）」、二〇一八年三月。

20 『住民登録統計に関する綴』（一九六三年度以降）島尻郡仲里村。
21 前掲、『仲里村史 第六巻 資料編5 民俗』三二頁。
22 琉球政府文書（沖縄県構文書館）『興南高校野球チーム歓迎式書類』（資料コードR00000536B）
23 『琉球新報夕刊』（一九九七・二・二〇）前掲、『仲里村史 第五巻 資料編4 新聞集成』七三三頁。
24 前掲、『仲里村誌』二九一～二九二頁。
25 前掲、『仲里村史 第六巻 資料編5 民俗』三四九頁及び三六八頁。
26 伊波普猷、東恩納寛惇、横山重共編『琉球国由来記』風土記社（三版）一九八八年、五七〇頁。初版一九四〇年（名取書店）。
27 『琉球国旧記』横山重遍『琉球史料叢書（第三巻）東京美術、一九七二年、二二八頁所収。
28 『仲里間切旧記』（原典コピー・翻刻通釈）仲里村史編集委員会編『仲里村史 第二巻 資料編1 仲里間切旧記 仲里関係オモロ』仲里村役場、一九九八年、五九～六〇頁所収。
29 仲松弥秀『神と村』梟社、一九九〇年、一四〇～一四四頁。
30 谷川健一『魔の系譜 常世論』『谷川健一全集一二巻』冨山房インターナショナル、二〇〇六年、二〇二～二〇四頁。
31 糸満市史編集委員会編『糸満市史 資料編12 民俗資料』糸満市役所、一九九一年、二七一頁。
32 『平成二七年第三回久米島町議会定例会』において、「本町の火葬場は昭和五四年に建設され三六年余を経過し、脚建屋火葬炉の老朽化が進んでおります」と葬祭場の整備に関して議論されている。
33 仲村昌尚『久米島の地名と民俗』久米島の地名と民俗刊行委員会、一九九二年、三一六頁。
34 堀場清子『イナグヤ ナナバチ―沖縄女性史を探る―』ドメス出版、一九九〇年、六一頁。

第五章　宮古島市池間島の漁業と祭祀

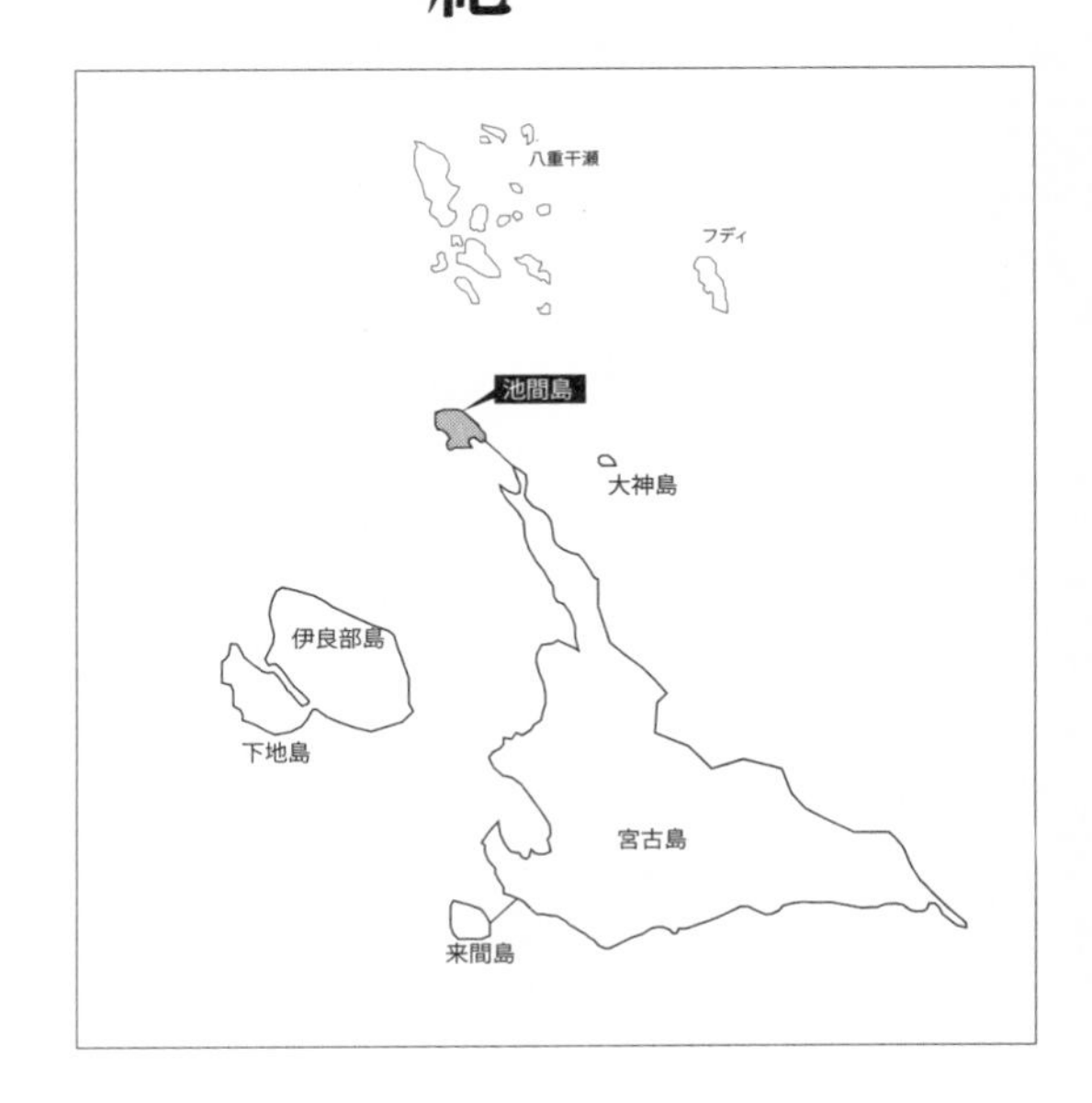

島ちゃび（離島苦）と干瀬のくらし

池間島の集落空間

南西諸島西部に連なる宮古島、大神島、伊良部島、下地島、来間島、多良間島、水納島と共に点在する池間島は、宮古島の北西約一・八キロメートル(注1)に位置する宮古列島の一つである。平坦なサンゴ礁石灰岩からなる面積二・八三平方キロメートルの周囲は、ぐるっと回っても一〇キロメートルにも満たない。深紅の花が咲き乱れるブッソウゲに覆われた民家、乾いた白い道がいっそう南の島を印象づける。かすかに風音をたてて陰をつくるガジュマルの大木の下で、漁を引退した老人たちが両膝をかかえてすわっている。

時間が止まったようないつもの島の表情だ。南端の池間港から集落に通ずる小道の左手に、こんもりと樹木の茂る森がある。その茂みに向って、サザエやシャコガイのいっぱいに詰まった網袋を頭に乗せた干瀬帰りの老婦人が空いた片手を恭しくささげて通り過ぎる。この日の海からの贈り物に感謝を込めているかのようだ。森の奥にはオハルズ御嶽(注2)（ナナムイ＝七杜）があり、島の守護神、男神ウラセリクタメフノ真主（御嶽由来記(注3)）を祀る。島民は年に一度の祭祀「ミャークヅツ」以外は、ツカサンマ（女性司祭者）の許可がない限り足を踏み入ることはできない聖域である。
池間島はかつて宮古島からフェリーや連絡船で結ぶ、海上に浮ぶ小さな離島であった。島外へはすべて海上交通に頼る「イケマ」の名は、東恩納寛惇によれば、「イケハナレ」の命名で、「いきはての島」の意であるという。[注4] その島に、全長一四二五メートルの「池間大橋」が開通したのは、一九九二年二月のことであった。旧平良市域の一地区として離島苦からは解放されたが、その様相はすっかり変わった。

　カツオ漁業と御嶽信仰によって形成される村落構造と、そこに生きる女性たちの生活史を課題に「南琉球研究会調査団」[注5]の一員として、私が池間島をはじめて訪れたのは一九八五年八月末のことだった。ほぼ同時期に潜水による大型網漁法を生み出し南西諸島各地に出漁し、大きな影響をもたらした沖縄本島の糸満漁民の調査を始めた時期でもあった。沖縄本島の代表的な「糸満ウミンチュ」との対比として先島の池間島に視座を定めたいと思った。

　池間島の漁民たちもまた自らを「池間海人（イキマインシャ）」「海洋池間民族」と呼称する。さらに糸満漁民が八重山の海へ出漁した同時期の一八九四年から、池間の男たちもカツオ漁が始まる一九〇六年までの一〇年余、八重山出漁の体験を経ている。地元では「八重山出漁（ヤーマタビ）」と呼ばれ、民家を借りたり小屋掛けをしながら雑漁業や採貝、採藻を行い、その資金で家屋を新築するほど盛んであったという。[注6]その後池間島はカツオ漁に移行し、一九〇九年に「鰹組」が組織され、帆船による操業を始めたカツオ漁業[注7]は、一九五〇年から六〇年代には、一四隻ものカツオ船が隆盛を誇っていた。カツオ一本釣りは活餌（いきえ）を必要とする。その飼料採捕には、糸満漁民から伝授された追込網漁を武器に、本土漁民にはまねのできない潜水技法で池間のカツオ漁は発展していった。飼料の種類も宮古海域には、畜養期間の長いウフミー（テンジクダイの稚魚）とサネラー（グルクンの稚魚）が多く生息し、活餌の調達が決め手となるカツオ漁の条件にも恵まれていた。[注8] ちなみに池間では八重干瀬で獲れるバカジャク（キビナゴ）がおもに使われていた。

さらに捕獲した鮮魚を、カツオ節という付加価値の高い商品に加工する技術が加えられたことこそが、島の経済の根幹をなし得た要因であり、大正年間には全国第三位のカツオ節生産地となった沖縄県下[注9]においても、池間は他村を圧する生産高を上げた。それを支えたのが女たちの加工労働であった。当時は冷凍設備もなく、捕ったカツオはその日のうちに処理しなければ腐敗してしまう時代であった。大漁続きの最盛期には、タイマツの明かりのもとで二週間も徹夜作業が続いたという。

まだ沖縄調査を始めたばかりの私は、カツオ漁でにぎわう池間島を細々と手探りの調査を続け、ささやかな報告を書くにとどまっていた。そして約三〇年を経た二〇一七年五月、改めて池間島がどのように変貌したのか再調査に入る機会を得た。[注10] 島を支えてきたカツオ漁は、化学調味料の普及に伴うカツオ節の価格下落、外国産の安価なカツオ節の流入、近海を回遊するカツオの減少、燃料費の高騰などで採算が取れなくなり、二〇〇〇年代に入ると衰退の一途をたどる。

カツオ加工工場の一つ「マル満」の経営者、川満安生さん（一九三五年生まれ）は、多くのカツオ船が撤退した後も、最後までカツオ船と工場を切り盛りしてきたが、池間のカツオ創業一〇〇周年を迎えた二〇〇六年、船と加工工場を閉じた。川満さんによると、船を購入し工場を建設したのは一九六五年。豊漁の年の操業期（五月から十月）には、一〇〇トンを水揚げし、カツオ節二〇トンを県漁連に出荷していた。上級品のカツオ節は高値で取り引きされ、安定した収益があった。価格の下落後もカツオ節から観光土産用の「味付けなまり節」に切り替え対策を練ったが、人気も一時的で廃業に追い込まれたという。

大量の水揚げに活気づくカツオ節加工工場（1985 年）

その後の島の漁業は一本釣りが中心となった。沖合ではパヤオ（浮魚礁）を利用したカツオ一本釣り漁業、底魚を対象とした深海一本釣り漁業が主体である。二〇一七年の池間島の人口は三六七世帯、人口五九八人。[注11] 池間漁協の正組合員は三九人、準組合員八四人、漁船はマチ釣りなどの二トン以上が一一隻、二トン以下の一本釣りが一〇隻。その他はもぐり四隻、ダイビング一三隻である。[注12] カツオ漁が栄えていた一九八〇年の国勢調査では、人口一二三五、世帯数四〇五、水産業二〇一六であったことからも漁業の衰退は明らかである。

夢のかけ橋として、交通事情の改善、産業の振興、教育環境の向上、医療の改革、生活環境施設整備の促進が期待された池間大橋だったが、逆に人口流出に拍車をかけ、医師の常駐も巡回診療もなくなった。

漁業を経済的主軸として、島の共同体を支える精神的支柱は、絶え間なく行われてきた御嶽祭祀である。それを司るのがツカサンマと呼ばれる女性司祭者である。その神職もここ数年なり手がなく空白である。

高齢化率四六・六％[注13]の島はカツオ漁の衰退と、神役不在の中で限界集落としての道を歩む以外ないのかと、重い足取りで池間入りした私だったが、予想に反して、島は県内外からも注目される新たな歩みを始めていた。池間出身の女性たちによって、ＮＰＯ法人いけま福祉支援センターを基盤として、小規模多機能型居宅介護事業所「きゅーぬふから舎」（今日も楽しいねと過ごせる家）が運営され、地域住民の交流を促進する島おこし事業、民泊事業、児童クラブ事業など多彩な活動が実践され、コミュニティの再生が図られていた。ここでは池間島が歩んできた三〇年の足跡をたどり、労働と祭祀を軸にした共同体の衰退と再生のあゆみを見つめる。

はじめての池間島訪問

私が池間島通いを始めた一九八五年ころの島の宿泊所は、民宿「勝連荘」一軒だけだった。ひとりで切り盛りしていた女主人、勝連秀子さんは私を家族のように受け入れ、泊り客が多いときは、容赦なくその接待に駆り出した。夜は多くの海人が集って、聞き取りの場ともなった。私は島のリズムに包まれて、近隣のお宅の空いている自転車をお借りして、炎天下の島を取材に走り回る数日を過ごしていた。島では予定はあってなきがごとしだ。目的地に向って急いでいても、たまたま道で出会った元漁師に「ネーネー（お姉さん）」と手招きされ、ガジュマルの木陰で長時間にわたる聞き取りになることもあれば、捕れたてのカツオやタコのご馳走に預ることもあった。

池間は漁場に恵まれていた。島を囲むようにして付近にはフッビジ、イラビジ、タチャタイ、フナガル、ニグービジなど魚の群れる干瀬が連なっている。潮のひいた浅瀬は魚類やンナ（サザエ）、ニグー（シャコガイ）、タカンナ（高瀬貝）の宝庫だ。女たちは干潮時には決まって海にでる。自分たちで櫂を握り、手漕ぎのティンマ舟（伝馬船）や潮舟（スゥーニ）を漕いで出かけていく。ここ池間では、本土や沖縄本島に根強く残る出産や性をけがれとする漁村特有の因習からは、まったく無縁の精神風土を形成している。

女たちの豊穣の海

一九八七年二月末、私は親泊文さん（一九一五―二〇〇二）が所有するティンマ舟で、干瀬行きに同行した。メンバーは四〇代から七〇代の女性一〇人。強い紫外線よけの帽子と衣類で身づくろいした女漁師たちは漁場の干瀬を目指す。文さんはかつてフズカサンマ（大司）を務めた経験をもち、島の行事には欠かせない司祭者であった。数え年二七歳で漁師であった夫を亡くした文さんが三人の子どもを育てることができたのは、島を取り巻く干瀬のおかげだった。漁獲物のひとつひとつが生活費になり、子どもたちの帳面代、鉛筆代になったと、文さんは語る。

船尾で舵をとる文さんの澄んだ歌声が大海に響き渡る。「ナカヤツヌカニク」（中屋津の兼久）の一節ごとに櫂を握る女たちが唱和する。五〇曲近い池間のアーグ（歌謡）を歌えるのは文さんをおいてはいない。それらは若いころからの干瀬通いで、先輩オバアから習い覚えたものだという。池間の島影がぐんぐん小さくなり、大海原に浮かぶ木の葉のような小舟が、哀調帯びたアーグの旋律と波音がひとつになって、ゆっくりと沖に向かっていく。東前方のフディ岩の灯台と大神島を結んで位置を定める「山当て」で確認しながら三〇分で漁場、フッビジに着岸。

水深一メートルほどの海中には確かに干瀬が広がっている。毎月、旧暦の一日と一五日をピークにやってくる大潮の時期に表出する礁原だ。一日二回の干潮時には昼も夜も通う。冬の夜のイザリ漁はサザエなどの貝類が多く、サンゴ礁の岩陰でイラウツ（ヒメブダイ）やツン（ミナミクロダイ）などが眠っているので捕獲率が高い。

女たちは潮が引いても干上がらない「ミジュキ」と呼ばれる浅瀬に降り立ち、私の腰に大きな箱メガネとアンディー（網袋）を結びつけると、獲物を求めて散っていった。教えられたように、海面に浮かした箱メガネに顔をすっぽりとはめ込んでみる。中腰の体が浮いて軽々と礁原を歩ける。緑や青や紫のサンゴ礁に目を奪われる。現在沖縄の海はオニヒトデによるサンゴ食害が広がり多くのサンゴを死滅させているが、ここは別世界だ。スズメダイやチョウチョウウオが原色を誇って水中を舞う。

私を呼ぶ声に気付き目を上げると、タク（タコ）捕り名人の千代ねえさんこと、前川千代さん（当時五七歳）が掲げるウギン（銛）の先に大ダコが突き刺されていた。さらに、もう一人の名人、勝連昭子さん（当時五八歳）も、大物を発見したらしい。彼女たちはそれぞれ秘密のタク穴をもっている。昭子さんが口元に指を当て、声を出さないように注意を促しながら示す位置を箱メガネで見ると、こんもりとサンゴ礁の破片が重なり合うように盛り上がっている。タコの棲み家だという。水中にかがみ込んだ昭子さんが、その破片を注意深く取り除くと、穴の中でなにかがうごめく。ウギンの先でくすぐるように刺激する。誘われるように頭を出したタコは昭子さんの手にわしづかみにされた。空き家となったタコの家を破損しないよう捕まえるのが名人の技である。

池間島周辺の干瀬は漁獲物の宝庫（1987 年）

二時間もすると女たちのアンディーは獲物でいっぱいだ。潮が満ちてくのも間もない。

「良かったさあ、大きいタクを見せてあげられて」と、千代ねえさんがにっこり。この日の彼女の収穫は大ダコ二はい、ウニ四キロ、シャコガイ七個、サザエ二〇個、アイゴ七尾、まあまあの収穫だそうだ。

「いつ来ても海は楽しいねえ」と、昭子さんも大きく膨らんだ網袋を頭に載せて帰りの舟に戻ってきた。大らかで、たくましい島の女たち。彼女たちは女性としての属性をゆがめることなく、経済活動を担う社会的成員として存在し、同時に聖なる祭司空間の主役でもある。働くことは「苦役としての労働」ではなく、貧しくとも当たり前で平等な人間的営為として共存社会を成立させている。魚の湧く豊穣の海に生きる女性たちに私は魅せられていく。

池間島と糸満漁民

トゥンカラアグ（娘宿）

私が池間島通いを始めて二度目の夏を迎えた一九八六年七月三〇日の午前、池間大橋本橋梁工事の安全祈願が行われていた。池間島と結ぶ狩俣地区の瀬戸崎では県と市の土木関係者をはじめ約一五〇人が出席。交通、産業、教育、医療、生活環境の効果が期待されての工事開始宣言がなされた。新聞各紙も大きく取り上げた。(注14)

この橋梁工事のニュースを、深い感慨をもって見つめている人があった。吉浜カナスさん（一八九八―一九九二）である。カナスさんはカツオ漁が導入された明治期の池間で、尋常小学校六年を卒業すると同時にカツオ節加工の削り女工一号として、本土から来た削り教師の指導を受け、「カツオの島・池間」の形成を支えてきた女性の一人であった。四方を海に囲まれたサンゴ礁台地の孤島に生まれ、働き、離島苦をなめつくしてきたカナスさんのふるさとは、今まさに新たな時代を迎えようとしていた。

「昔の池間の海は面白いところであったさあ。そうよ、鯨が潮を吹いて浮んだり沈んだりしているのや、カツオ船が獲物を追っているのが見えていたさね」。そしてカナスさんは一九九二年二月に開通した池間大橋（全長一四二五メートル）を見ることなく、完成三カ月前に九三歳の生涯を終えた。

私がカナスさんと初めておめにかかったのは一九八五年一〇月のことであった。当時、数少ない池間島の若者であった勝連見治さん（一九五三年生まれ・現在は池間漁協筆頭理事）が祖母の勝連メガさん（一八九八―一九九二）と近くに住む山口マサさん（一八九六―一九八六）をカナスさんの家に送り込む車に、私も便乗していた。その三人の集いがどんな意味があるのかも知らぬままの訪問であった。

三人は、それにしてもひどくはしゃいでいる様子だった。それが久し振りの再会であり、トゥンカラアグ（一緒に寝泊まりする幼友だち）の関係であることを理解できたのは、池間方言のおしゃべりが続いて後、しばらくしてからであった。

池間には、一二、三歳から結婚年齢に達するまでの期間、男女それぞれに「トゥンカラヤー」（娘宿）という若者たちが共同生活をする家があった。西日本の沿海地帯にみられる「娘宿」「若者宿」に通ずるものであった。(注15) 池間の場合は、仲の良い三、四人が部屋数の多い家に寝泊りすることが多かった。昼間は自分の家の畑仕事やカツオ節加工に従事し、夜になると三々五々集まってきては、その家の両親や年寄りの話に耳を傾け、手仕事や民謡を覚え、おしゃべりに興じる楽しみの場であった。共存社会におけるその親しさは格別のもので、結婚後もサトウキビのユイ（共同労働）を組んだり、個人的な相談をしたりして姉妹のようなつきあいが続く。歴史的にみれば、過酷な人頭税という受難の道を担いつつも、島独自の共同体と大らかな精神風土に育まれてきたトゥンカラアグたちは、明らかに時空を超えて娘時代にもどっているようであった。歌の得意な勝連メガさんが突然歌い始めた。

ハイヨノカナス（栄え世の加那志）
サーハマヌハイミャヨ（サー浜の角眼蟹）
ハイヨノカナス（栄え世の加那志）

トゥンカラアグの左から山口マサさん、勝連メガさん、吉浜カナスさん（1985年）

以下一三節まで「ハイヨノカナス」と哀調を帯びたリフレインが続く。この歌謡の訳書によれば、(注16) 人頭税に深いかかわりを持ち、「伊勢エビさえも脱皮するんだ、磯ガニさえも脱甲するのだ。私らが脱皮（若返り）しない事はないのだよ、吾々が脱皮できないことはないだろうよ、栄え世の加那志」と結ばれる。

一八九九年「沖縄県土地整理法」が制定され、その後長期にわたる宮古・八重山両郡の土地整理が終了し、地租条例及び国税徴収法の施行によって、二六〇年を超える苛酷な人頭税が廃止されたのは一九〇三年、カナスさん五歳のときのことであった。

カナスさんの一冊のノート

カナスさんは席を立ち、一冊のノートを持って戻ってきた。カツオ漁が導入される以前の八重山出漁、島の干拓工事、農作業、食生活などを書き留めたB5判のノート一七ページにわたるカナスさんの記録であった。旧漢字、ひらがな、カタカナの入り混じった文字で、驚くべき洞察力と記憶力で「ムカシと、今とは、ひじょうに、字も、ことばもちがい、わらわれるところも、あるでせう」と書き始められていた。カナスさんが池間の歴史と変遷を書き残しておこうと思い立ったのは数え年七七歳の年であった。

このノートとの出会いをきっかけに、私はカナスさんの記録をなぞらえるかたちで、聞き取りを始めることになる。まもなくカナスさんは池間を去り、那覇市でサンゴ加工所と販売店を出店していた次男の繁さん夫妻のもとで暮らすこととなった。私はそこでも引き続きお話を聞くことができた。

貴重なノートの全文と聞き取りは、カナスさんの承諾を得て、研究誌『地域と文化』(注17)に発表したのは一九八七年のことであった。「若いころは働いて働いて、何も考える暇はなかったけど、今は座っているだけだから、若い人に昔のことを聞かせられる」と、笑顔を見せた。

カナスさんは漁師の夫、吉浜幸彦さん(一八九五―一九七二)と結婚、八人の子どもをもうけたが、三人は乳児期に亡くし、長男は一九歳で病死、一男三女が健在であった。

「わが池間島は、小さい島であり、畠もすくないし、私たちの小さいころは畠からとってくる食料しかなかった。アワ、ムギ、キビ、イモをとってきて、くらしていた」と、カナスさんはノートに記す。

「そうよ、子どもを生んで、それらを育てながら、たいていは畑に出ていたさね。日に照らされたまま赤ん坊を畑に眠らせておいて、その間に仕事をやっていたさ。帰りは芋や牛の草をいっぱい詰めたバーキを頭に載せて、両方の手にも余るほど持って、子どもの一人は背中にくくりつけ、もう一人は歩かしてね。こんな思いをしてきたのよ。その上、薪取りも水汲みもひどいさね、雨の降る日には子どももぐずるし、アダン葉のトゲは刺さるし、まことに困難であった」と語るカナスさん。

今は孫九人、曾孫六人に恵まれて穏やかな日々だが、カナスさんが記すように、島の土地面積は狭いため、農作物の生産は少量で、しかも限られたものであった。マズ（米）を必要とする場合は、「農家（狩俣村）へ渡って、直接魚と粟などと物々交換する方法が大正時代まで行なわれた[注18]」のであった。

自由恋愛の島

かつて池間の婚姻は例外なく島内婚であった。環境的に孤島であったため人の往来に限度があったことに起因するとみられ、見合いや婚約はなく、伝統的に個人の意思で決定する「自由恋愛の島」であった。青年たちが深夜に意中の未婚女性のもとを訪れるユバイ（夜這い）の慣習も、オープンな配偶者さがしとして黙認されていた。睡眠中の娘をのぞき見することを目的とし、四、五人の見張りを伴って行動するので、娘たちは作業ズボンをはいたり、着物を逆にして袖に両足を入れて紐

で縛ったりして寝ていた。(注19)
お互いに結婚の意思が固まると、男性の友人が酒一升と菓子などを持参して相手の女性の両親のもとを訪れて、結婚の申し込みをする。承認されればその晩から嫁方の生家に通う。子どもが二、三人できるまで通う例もあった。(注20)
カナスさんの次男、吉浜繁さん(一九二七年生まれ)は、長兄が死去したため実家の後継ぎであった。妻、良子さん(一九三〇年生まれ)と結婚し、長男が生まれるまでの二年間は妻の生家へ通ったという。良子さんの父、上里加那さん(一八八八―一九七七)は、一八九五年に設置された西辺尋常小学校池間分教場(四年制)の最初の新入生であり、一五歳で「ヤーマタビ」(八重山出漁)に参加し、導入されたカツオ漁、南方漁業(ポナペ)にも出かけた。苦難の漁業史をあゆんだイキマインシャ(池間漁民)であったが、八人(女二人男六人)の子どもたちに結婚に関する干渉は一切しなかったという。末娘の良子さんも四人のトゥンカラアグと寝泊まりした経験者だ。
「当時は家族も多いし、廊下であれどこであれ、空いている所に寝ていました。それでも楽しくていい思い出ですよ」。

湿原の干拓工事

古層の池間島は東西二つの島に分かれており、その間には南北に延びる細い水路があった。一六世紀初期、一五二五年のこと、この地域を支配した「四島の主」(狩俣、島尻、大神、池間の支配者)

が二つの島を連結して一つの島にした。[注21]その結果、水路は南側に口を開けた細長い入江になり、「イーヌブー」（北の入り江）と呼ばれる湿原となった。

その「イーヌブー」の初期の干拓工事に関して、カナスさんはこう書く。「池間島のまん中は島の、やく三分ノ一は入江の格好で、川のようにながれていました」。その川をせき止め干拓すれば畑が増えて暮らしがよくなると勧めたのは、カナスさんが尋常小学校五、六年生のとき教えを受けた宮平（賀色）先生であった。「さあ、私が三十二、三のころには、先生がおしへて下さいましたことが、いよいよはじめる事になりました。そのときは、馬車もなく、車もなく、いしをあたまの上にのせたり、かついだりして……先生のおしへた事ができあがろうと、いひながら、よろこんでかついでいた」。

『池間嶋史誌』によれば、「島中の家々から一戸につき一人ずつでて」干拓したとされる一九一九年ごろの写真が掲載されている。[注22]この工事によって「神道原（カンツバイ）」と呼ばれる聖なる地域への往来が可能になったという。

池間漁協組合長と市議を歴任した砂辺達男さんはさらに具体的だ。「大正九年に池前干拓水利事業組合を立ち上げ、大正一三年に着工し、昭和九年に事業はほぼ完了した。その面積は約四七ヘクタールに及んだ。水門を設置した防潮護岸を二本造り、道路をかねた。その結果約二〇ヘクタールほどの干拓地が造成造成された[注23]」。

カナスさんが参加した入江工事は、公的補助金を受けて舟溜場施設事業へと発展する。行政資料(注24)によると、「補助による舟溜揚場」として池間の舟溜場は一万三二六七円の工費によって一九三二年から一九三四年にかけて設備されている。これらの工事に貢献したのは、カナスさんの兄、仲間屋真(なかまやま)(姓が仲間、名が屋真)であった。人びとから「議員さん」の愛称で呼ばれるほどに、町村会議員一六年余り、漁業組合長や役員を三〇年間に及んで務めてきた島の指導者であった。カナスさんの甥たちも同様であった。長兄金三の長男である仲間貞夫、屋真の長男、仲間勇栄、ともに池間漁業組合長を務め、のちに貞夫は宮古漁業協同組合連合会長として、島の改革を担ってきた。一九六三年から一九八二年にかけて池間漁港の工事が行われ、埋め立てによって、入江は外海と完全に遮断されて淡水化した。二〇一一年一一月一日には「池間鳥獣保護区」として島全体が国の鳥獣保護区に指定された。

糸満漁民の影響

カナスさんが繰り返し語り、そして私にとっても衝撃的だったのは糸満漁民に関する証言であった。南西諸島各地に定着していった糸満漁民の軌跡を追っていた私にとって貴重な聞き取りとなった。それはカナスさんの兄、仲間屋真がカナスさんの生家に糸満漁民の一団を一時仮住いをさせたことに始まる。カナスさんが一二歳のころの明治末期のことであった。

『平良市史』によれば、「明治になっても、宮古の水産業は、クリ舟と裸のもぐりの突き漁法が殆どで原始的な沿岸漁業等をして、自給をなすの状態であった。糸満は古くから漁業の盛んな所で、人びとは漁業技術にも勝れていて、県内各地に漁村づくりをした。彼等は改造されたくり舟や新発明の水中眼鏡を持ってきて、宮古の漁業の発達に寄与した」[注25]とされる。カナスさんにとってもはじめて知る、島外の人びとであった。

「サバニも一〇隻ほどあって、ゴロコン（グルクン）を追いこむ糸満の親方はヒサグヮースー（足の不自由な人）と呼ばれていた。漁でケガをしたのかね、片方の足を短くしていたよ。沖縄（沖縄本島）の人はからだの特徴で呼ぶからね。ほんとうの名前は玉城（たましろ）といっていたさね。炊事をする女の人が二人おってイモを練ったンムニーを作っていた。わたしと同い年か、二つ、三つ上の、一五、六の子どもも沢山おって、親方はそのお兄さんらを生まれ島の名で呼んでいた。渡名喜島の子をばトナキー、粟国島の人はアグニー、本部浜元の人で目が小さい人のことは、ハマモトミーグヮーと呼んでね。海に潜るからみんな髪を赤くしていた」。

糸満漁民に連れられてやってきたさまざまな出身地の子どもたち。彼らこそ大型追込網漁の要員として沖縄本島北部の貧しい農村地帯や離島から売られてきた、糸満売りの雇い子たちであったに違いない。

カナスさんは彼らが話す糸満方言にも興味をもった。食事前には「くわっちーさびら」（いただきます）、食事後には「くわっちーさびたん」（ごちそうさまでした）と礼儀正しかった。

「糸満のお兄さんたちは、うちのンマ（お母さん）をアンマーと呼ぶので、幼い甥はそっくりまねしてアンマーを連発して、家族を楽しませていたのです」。

その後一九一四年ころにはカナスさんの生家から浜崎（はまさき）の浜辺に仮小屋を建て、井戸を掘り当てたことをカナスさんは証言する。現在は一九三四年から始まった干拓工事や一九六六年から行われた港湾整備事業で埋め立てられ、宮古島市立池間小中学校の敷地となった。

「池間の人は糸満の人に助けられたさあ。今でも良く覚えていますよ。糸満のお兄さんたちが走ってきて、お母さんに〝アンマーあまい水（塩水ではなく）が出た〟って。さっそく島の人も井戸掘りを手伝って、四斗入りの醤油樽の底を抜いて埋め込んだの。浜辺に近い場所から飲み水が出るなんて、島の人には考えもおよばなかった。毎日の井戸通い(注26)は大変だったからね。柄杓一杯分、湯飲み茶わん一つ分の水にどれだけ苦労したことか。村はずれには七つの井戸があって、朝の二時、三時から起きて、暗い石ころ道を歩いて順番をとって汲んだものです」そしてこう結んだ。「今の人は知らないから話して聞かさんとね。糸満のお兄さんたちがしてくれたことを知っている者は、もう誰もおらんからね」と。

カツオの島の盛衰記

カツオ漁の季節

雨期明けを知らせる季節風カーチーバイ（夏至南風）が吹き始める六月、かつての池間島ではカツオ漁の季節を迎えた。一九八五年九月初旬の池間島。島の朝は早い。午前六時、親子ラジオ（有線放送）によって島の暮らしは始まる。「島だより」の合図であるイメージソング『恋のはりみず港』（作詞・大城弘、作曲・高野申）が響き渡る。「船が着く日の港の夜は街もにぎわう三味の音に……」。音楽が止むとその日の神願い行事や冠婚葬祭、自治会、漁協からのアナウンスが始まる。池間親子ラジオ社は、譜久村健さん（一九二五―二〇一〇）によって、一九五五年から始められ、現在も島の重要な地域メディアとして機能している。

カツオ節加工に従事する女性たちは、放送される各カツオ加工工場（四企業）の作業日程を知り、所属工場のスケジュールに従って六時半には仕事に就く。

カツオはアシの早い魚である。作業もスピードが要求される。カツオ工場の大手「マル満」工場で作業現場を見る。

①〈生切り〉切り台の上で工場長を中心に男たち三人がカツオをさばいている。頭を切り、内臓を取り除き、背皮をはがし、背側（雄節）と腹側（雌節）に切り分ける。一〇キロ大のものは四つ割りにする。

②〈籠立て〉生切りされた魚肉は煮籠にていねいに並べる「籠立て」作業。

③〈煮熟〉じっくり約一時間半煮込んで、釜出ししたカツオは次の工程へ。

④〈骨抜き〉二〇人の熟練した女性の手がいっせいに皮、ウロコ、皮下脂肪を取り除き、一本一本骨を抜いていく。骨抜きの終えた段階で、水分を蒸発させる。

⑤〈整形〉骨を抜いたあとの傷や身割れを整形する。頭や骨に付着した肉を加工した「シルク」と呼ばれるすり身を使用する。竹のヘラを用いて割れ目や傷に埋め込み形を整えていく。

⑥〈焙乾〉整形過程を終えたものは本格的な焙乾「一番火」「二番火」へ。四日目からは焙炉小屋でマキを焚いて棚焙乾をする。仲間邦夫工場長（一九二七年生まれ）が、水分の抜け具合を一本ずつ点検している。大きいものは二週間、小さいものでも一週間はかかり、池間方言で「フダ」と呼ばれる荒節となる。

⑦〈削り〉焙乾が終了したら、有線放送で削り女工たちに知らされ、「フダ削り」に移る。多くは主婦なので自宅に持ち帰り作業する。「荒節」の表面に浮き出た脂肪のかたまりや不純物を削り落とし、カツオ節としての形を整える。仕上げの技術が問われる重要な作業だ。用いられる用具はツキボー、ヒキボー、カラクリという小刀で「フダキズーガタナ」（カツオ節を削る小刀）と総称され

る。商品の価値を決める削りの技術は決して安易なものではなかった。「節自然ノ形状ヲ保持セシメ……美術的ニ」削ることが条件づけられていた(注27)。

削りの名人であり最高齢者である仲間フミさん（一九〇八―二〇〇九）も、日陰を求めて自宅横の路地に敷物を広げて削り始める。その髪には戦後四代目のフズカサンマをつとめた証のべっ甲のかんざしが止められている（終身つける決まりがある）。

午前中の作業が終わろうとするころ、出漁中の専属カツオ船「宝幸丸」の浜川清治船長（一九二三年生まれ）から無線で大漁の知らせが入る。シケ続きの海で久しぶりの快挙だ。やがて一五人の乗組員を乗せた一七・七四トンのカツオ船は、高らかに演歌の旋律を鳴り響かせ、大漁旗をたなびかせて入港してきた。人びとが港に走り出す。喧騒の中、一〇キロクラスのカツオが続々と水揚げされた。

釜出し後のカツオを骨抜きする女性たち（1985 年）

削りのベテランは明治生まれの仲間フミさん

「カビ付け」によって「本枯節」となる鹿児島県枕崎の製品とは異な

り、池間島では「荒節」で出荷される。カツオ節の年間消費量トップの沖縄の一般家庭では日常的に使用され、濃い出汁がとれる乾燥度の低い荒節が好まれるためだ。仕上げれらたカツオ節は那覇市場へ出荷される。

船の安全と大漁を祈る

加工工場横の樹木の茂みに着物姿のひとりの女性が神酒、塩、米をのせた膳を前にして祈る姿があった。「ニガインマ」（神願いをする女性）である。各カツオ船には村の神事を司るツカサンマ（女性司祭者）とは別に、船の安全と大漁を祈るニガインマが二人ずついる。そのひとりは必ず船長の妻が務める。「組合ニガイ」と呼ばれるカツオ漁船組合の神願いは一四種におよぶ。(注28)

①ハズミニガイ（カツオ漁開始の総合的な願い）、②マビトゥニガイ（組合員の健康願い）、③シンドゥニガイ（船長のための願い）、④ウヤカタニガイ（船主のための願い）、⑤ウフユダミニガイ（豊漁を祈る願い）、⑥ウヤカタ・ウフユダミニガイ（船主がもうけるようにとの願い）、⑦カリウスダミニガイ（海上安全を祈る願い）、⑧ボースンダミニガイ（水夫長のための願い）、⑨キカンシャニガイ（機関士のための願い）、⑩カイケイニガイ（会計係が正確に計算するように祈る）、⑪ミガニ・ミッビイヌニガイ（魚群探知をする人のための願い）、⑫キカイダミニガイ（エンジンがうまく動くようにとの願い）、⑬リュウキュウニガイ（竜宮の神に豊漁を祈願）、⑭オワリニガイ（漁期終了の祈願）の一四種である。

私の出会ったニガインマは船と工場で働く人びとのために、祈願をしていたのである。さらに集落全体で安全航海と豊漁を願う「ヒダガンニガイ（浜神願い）」を主宰する村の「ダツンマ」という存在がある。正式のダツンマが存在しない現在も、ツカサ経験者に依頼し、漁協主催で「ヒダガンニガイ」（漁協主催）は継続されている。危険な海で働く漁師たちにとって、いつの世も欠かせない祭祀なのだ。

クリ舟漁業からカツオ漁業へ

沖縄県におけるカツオ漁が鹿児島からもたらされたのは一九〇一年、沖縄本島那覇市の西方に位置する慶良間の座間味村においてであった。水産物の流通、漁業用資材の調達、水産加工の面で優位性を誇っていた本土漁業者によって「沖縄漁撈集団」が組織されたのが始まりであった。しかし糸満漁民から伝授された追込網漁法による餌料（活き餌）の採捕という本土漁民には真似のできない技法を武器に沖縄のカツオ漁は発展した。さらに県は補助金を出して生産地の製造設備の改善を推進し、水産試験場より製造手を派遣して伝習させた。明治末期には本土経営者の手を離れ、大正年間には全国第三位のカツオ節生産額を誇り、(注29) 砂糖にならぶ沖縄の重要な産業となっていく。

そのカツオ漁が池間島に導入されたのは一九〇六年七月のことであった。平良村字西里において、鹿児島県出身の鮫島幸兵衛がカツオ漁船二隻を借り受け、池間島を根拠地に操業に従事したことがきっかけであった。(注30)

池間のこれまでの原始的なクリ舟による漁業からみれば、まさに驚くべき近代漁業であった。

一九〇九年、組合員数二七八人、発動機船七隻、刳舟五六隻、その他五隻の規模で漁業組合が創設された。(注31) 池間と前里、両字の頭文字をとって「池前漁業組合」と名付けられた。沖縄県による漁村振興という期待を担っての発足であった。池間島の漁業史である『仲間屋真小伝(池間島漁業略史)(注32)』によれば、池間住民によるカツオ漁業の組合が誕生し、鮫島氏から船を買い取って経営にのりだしたのは一九一〇年のことであった。それまでは製造人が余暇をみて削っていたカツオ節加工も、漁獲物の増加によって追いつかない状態を迎える。技術の優れた者が教師となって、小学校を卒業したばかりの少女たちが次つぎと養成されていった。

池間は第一次世界大戦の好況の波にのって、他村を圧する生産高を上げた。一九二九年度は、池間の組合船、宝山丸が県下上位の漁獲高を記録していた。(注33)

新天地を求めた南方出漁

一九二九年から始まった世界恐慌の波は池間にも押し寄せ、カツオ漁は苦境に陥った。その年、七人の池間青年がボルネオに渡航した。英領の北ボルネオでカツオ釣漁業や缶詰業で手広く事業していたボルネオ水産会社から、池間の漁業組合にカツオの餌採取の漁業者雇い入れの要請があり、さっそく七人の青年たちが人選され派遣された。二年契約の賄い付き、給料は五〇円であった。(注34) さらに沖縄水産会はボルネオ水産株式会と提携し、一九三六年「英領北ボルネオ移住漁業団」を結成。同年、先発隊として池間島の宝泉丸と平良久松地区(久貝、松原)の久松丸の二隻が出漁した。池間島の宝泉丸の乗組員は三一名だった。[注35] いわゆる「南方カツオ漁業」[注36]と呼称される。以来、池間島の漁師は苦境を打開すべくトラック、ポナペなど周年操業が可能な南洋群島に渡り、カツオ漁に従事した。呼び寄せ、家族連れ、削り女工たちがこぞって海を渡っていった。

南洋出稼ぎは沖縄全体の潮流であり、自力で経営する者、南興水産会社などとのタイアップ、単なる労務労働者など形態はさまざまだった。「ソテツ地獄」と呼ばれた経済的破綻状況の沖縄県民の南洋移民は年ごとに増大、一九三九年には四万五七〇一人の県民が占め、全体の五九・二パーセントに達した。[注37] 池間住民も同様で、当時の南洋群島の島々は、一時的に分村が作られた観さえあった。[注38]

第二次大戦の緊迫した状況の中で沖縄の人びとは故郷に引き揚げ、敗戦を迎えた。カツオ漁師たちは米軍占領下で、いちはやく漁業を再開。戦後は物資不足によるインフレでカツオ節などが高値で売れ、戦後カツオ漁の復興の契機となった。

池間島漁業の形成期を担ってきたのは、仲間屋真という先駆者であったが、それに対し、戦後の漁業展開を担ったのは、前述の『仲間屋真小伝（池間島漁業略史）』を著わした屋真の甥、森田真弘（一九一二―一九八〇）である。森田は県立水産学校（現・沖縄県立水産高校）を経て中央大学に進み、一九三七年卒業と同時に農林省水産局（現・農林水産省水産庁）に入省した。しかし一九四五年、沖縄戦によって漁船はもちろん漁具、各種水産施設はほとんど壊滅、水産業は窒息状態であた。米軍の占領によって各群島に軍政が敷かれ水産行政も軍政下に置かれた。一九五〇年に住民側自治機構の一つである「琉球農林省」が設置され、翌五一年四月、米国民政府によって暫定的統治機構である琉球臨時中央政府（翌年に琉球政府）において「琉球農林省水産局」が発足、森田は沖縄の求めに応じて水産庁を辞して琉球農林省水産局長に就任する。

一貫して水産行政を歩み続けた森田は、さらなる沖縄水産業の開拓を胸に、一九五五年に琉球政府経済局水産課長を依願退職。翌一九五六年からサンゴ漁業の経営に着手、宝石サンゴ漁の経営に携わる。四年間の漁場検査を経て、一九五九年九月、森田が経営するサンゴ船が宮古島北方宝山曽根でサンゴの漁場を発見する。(注39) 翌六〇年春から本格的に採取され、サンゴ漁業市場は空前の大漁場と高く評価された。約一〇年にわたって良質の桃色サンゴが採取され、最高額を誇った六三年には一万五〇〇〇キロ余、一一四万ドル余の生産があり、宮古島の宝山曽根はサンゴの産地としてクローズアップされた。開発された漁場には大小七〇隻近くの漁船が殺到し、水産業界は混乱した。(注40) その年六月、「琉球珊瑚漁業者輸出組合」（森田真弘組合長）を設立、販売対策と輸出窓口の一本化がはかられたが、生産過剰で価格は四分の一に暴落し、漁場は枯渇し、夢はもろくも消え去ったが、(注41) 池間の漁業史上特筆すべきことではあった。そして森田は、一九八〇年、六七歳の生涯を閉じるまで戦後沖縄の水産会を担い続けてきた。

一九六〇年、ボルネオでのカツオ漁に着手した大洋漁業株式会社傘下の大洋水産は、池間漁業組に船ごと雇い入れの話を持ち込み、四〇人近い漁師がボルネオに渡航し、留守宅には月五〇ドルが会社から直送され、家族はうるおったという。(注42)

　さらに一九七〇年代からパラオやパプアニューギニアに出漁が再開され、現在、一本釣りに従事している山口修さん（一九五六年生まれ）も二〇歳の成人式を迎えて、南方カツオ船に参加した。パプアニューギニアで操業していたカツオ船、新福丸（長嶺隆博船主・五〇トン）だ。数年おきに二人の弟たち、直人さん（一九五九年生まれ）と康成さん（一九六一年生まれ）も参加。一隻に一五人前後が乗り込むので、池間の漁師はほぼ全員参加している。一九七七年の二〇〇海里（排他的経済水域）の制定、七九年の第二次オイルショックによる燃料の高騰が重なり、南方漁業は終焉を迎える。

伝統漁法「石巻落とし」

　現在、池間漁協で営まれている主要な一本釣りには、伝統的な「石巻落とし」と電動リールによるものの二種類がある。那覇市垣花の漁民によって伝えられたという釣竿を使わない石巻落とし漁法は、エサと針と糸と石だけの釣りだ。

　二〇一七年六月一一日午前、伊良波満也さん（一九五五年生まれ）の漁法を見る。満也さんの父、進さんは池間でも指折りの漁師だった。「吉進丸」（一二・二八トン）を操り、カツオ漁に従事し、カツオの漁閑期は石巻落としでその水揚げを誇ってきた。

　いま長男の満也さんが引退した父の船を引き継ぎ、父から学んだ伝統の石巻落としで、ミーバイ（ハタ）やマチ（ハマダイ）などの高級魚を釣り上げている。満也さんはまず石にこだわる。一般に用いられる粉砕した鋭角な琉球石灰岩ではなく、波や砂に洗われて周りが削られた自然の石を用いる。釣り糸が石に密着して途中で切れたりするトラブルが少ないからで、日ごろから適当なものを拾い集めておく。餌は小さめのグルクンなどを用い、切り身に釣り針をかけ、三〇〇グラムほどの琉球石灰岩に載せて先糸ナイロンテグスを数回巻いて固定する。さらに細かく刻んだ撒き餌を加えて巻き付け、石に糸をはさみ止める。その間ほんの二〇秒ほどだ。

漁場に向かい、備え付けられた探知機が魚の群れを捉えたら、その一〇〇メートル手前にアンカーを投入して船を安定させる。すかさず餌付きの石を海中へ。魚群の位置を見定め、糸を操作して石をはずし、餌を漂わせて魚を食いつかせる。すべて手先の感覚が頼りだ。針の付いた餌は潮の流れに乗って自然に漂うので魚も警戒しない。先人の知恵が生み出した合理的な漁法だと、満也さんは語る。

サンゴ礁群「八重干瀬（やびじ）」

柳田國男の「海上の道」

やびじで潮干狩りを楽しむ池間の女性（1986年）

春まだ浅い三月末から四月末にかけて、南西諸島は冬の北風が一気に夏の南風に変わり、宮古地方はビーズン（うりずん）の季節を迎える。大地が潤い、麦の青い穂が出そろうころである。沖縄最古の歌謡集『おもろさうし』(注43)では「若夏（わかなつ）」と詠み、この美しいおもろ語は、現代に言い慣わされてきた。季節風の変化にともなって一段と陽光を強めるサンゴ礁の海は、よりいっそう輝きを増して夏の始まりを告げる。

そんな若夏の旧暦三月三日、一年中で潮の満ち引きの差がもっとも大きい春の大潮のとき、池間島の北方一五キロの洋上に「幻の大陸」と呼ばれる広大なサンゴ礁群「八重干瀬」が浮上する。

日本文化の源流を南方に求めた柳田國男の構想の舞台「海上の道」である。柳田は中国大陸から通貨としての宝貝（たからがい）を求めて、宮古の広大な岩礁地域である八重干瀬に渡ってきた漂流民を日本人の祖とみた。八重干瀬は柳田が注目した宝貝ばかりでなく、貝類の宝庫であった。海上に干出し、百を超えるサンゴ礁群の総面積は南北に一〇キロ、東西に六・五キロ（一九九九年国土地理院作成地形図）。その広さは宮古島（一五八・七〇平方キロ）の一〇分の一に当たる。

また八重干瀬は「やえびし」をはじめ「やびし」（狩俣）、「やぴし」（島尻）など各地で呼称がまちまちだが、一九九九年、国土地理院による八重干瀬の地形図作製に伴い、同院から呼称の統一を求められた平良市（現・宮古島市）は、生活圏としてなじみ深い池間島で呼ばれている「やびじ」とすることを決定。八重干瀬地形図に「八重干瀬（やびじ）」と記載された。

ふだんは海面の底に眠っている礁原が、刻一刻と海上に姿を現すと、テーブルサンゴやエダサンゴがさまざまな造形美を見せる。この礁原を干瀬と呼ぶ。サンゴ礁の分類上からみれば、八重干瀬は「台礁」と「離礁」のタイプからなり、干瀬が台礁にあたり、その間の暗礁（ミジュキ）は離礁であるが、全体には台礁群といえるという。(注44)

タコや貝たちの棲み家である礁原と、魚たちの群れ集うイノー（礁池）が、同時に干上がり、絶好の潮干狩りタイムを迎える旧暦三月三日、沖縄各地では山海の幸を盛りつけた重箱を持参して浜で潮干狩りを楽しむ「浜下り」が行われる。八重干瀬の地元、池間島をはじめ宮古島、大神島、伊良部島など宮古地方ではこの日を「サニツ」（三日の意）と呼び、島じゅうのカツオ船や釣り船を連ねて八重干瀬に向かい、身体を清め、潮干狩りを楽しむ。

サニツの日の出漁

一九八六年新暦四月一一日（旧暦三月三日）のサニツの池間島。どこの家でも女たちがヨモギ入りの餅や赤飯（小豆か食紅を加えアカマズという）の大きなおにぎりの準備に追われていた。午前一〇時、港は八重干瀬行きの船と村人で活気に満ちている。私もカツオ船、吉進丸（一二・二九トン）に同乗させていただく。低い雲が立ち込め、風も出てきたが、一隻、二隻とエンジンの音を響かせて出港する。吉進丸の伊良波進船長（一九三二年生まれ）も始動開始。島を後にして北上する。やがて大神島が見えてくる。うねりが高い。島が見え隠れする船のデッキで、船酔いした地元の若い女性が波しぶきを浴びてぐったりしている。さらに直進。東海上に灯台の立つフディ岩（筆のおかみ）[注45]が現れると、伊良波船長は船を止め、夫人の翠さん（一九三二年生まれ）とともに安全航海の祈願を始めた。この岩には「ふじぬまかなし」（フディ岩のマカナシ）という女神が棲み、八重干瀬にはその兄である「とぅがまる」という男神が波を起こして荒海にするので、[注46]漁船はフディ岩で必ず祈りを捧げるのが慣習だ。こうした民俗的価値が認められて、フディ岩は二〇一四年一〇月六日付で国の名勝及び天然記念物「八重干瀬」の一部として追加指定された。

サニツの祈りを捧げる伊良波進船長夫妻（1986年）

船長夫妻はフデイ岩に向けた船首に米、塩、酒を供え、深い祈りをすますと、ブン（盆）に載せた三つの盃を船上の人びとにまわす。神との共食の儀式である。

出港して約一時間、吉進丸はさらに船を進め、遠く前方に白波が砕けるのが目に入る。外洋とイノーの分岐点で、リーフの存在を示している。百を超える八重干瀬の干瀬群は、漁師たちによってそれぞれに名前がつけられ、好漁場となっている。たとえば池間島から距離の離れたリーフは「ウツ」（遠い）、干潮でも干上がらない暗礁は「ミジュキ」、人間の体にたとえた「ドゥ」（胴）、「カナマラ」（頭）、海草の採れる干瀬は「ウル」、サザエのいる「ンナガマビジ」、ヒメジ類の宝庫である「イジャン・アギビジ」などである。これらの名付けはよく獲れる獲物の名前、あるいは位置などが基準になって決められている。

吉進丸は八重干瀬最大の干瀬「ドゥ」付近に投錨、干出するまで船上での食事となる。船長夫人が船内の厨房で煮炊きした魚料理や赤飯のおにぎり、ジュースなどが乗船者たちにふるまわれる。深いコバルトブルーの海面がしだいに淡い色調に変わり、透明さを増して輝き始める。「幻の大陸」浮上が間もない証拠だ。緑色のサンゴや干瀬の岩肌がひとつひとつ波間に姿を見せ始め、その広がりをのばしていく。日よけ帽、手袋、地下足袋と完全武装した女たちはまだ海水の残る干瀬に降り立ち「ミナンガハナ」の儀式を始める。寄せ来る波を三回飛び越え、その波頭を両手ですくって身を清めるのである。こうしたサニツの禊の風習は、赤い斑点のある蛇の化身である美しい男に犯された娘が、浜に降りてからだを清めたという南島に伝わる「アカマタ一伝説」に由来する。(注47) 儀式を済ませた女たちは、知りつくした礁原へ獲物を求めて散っていった。

干瀬のいたるところにできた潮だまりに、逃げ遅れたハラフニャ（アイゴ）、イラウツ（ヒメブダイ）、タマビ（ハマフエフキ）、フナズ（イソフエフキ）などが次つぎと女たちの手にかかっている。サンゴ礁のすき間に潜んでいるニグー（シャコガイ）、ンナ（サザエ）なども見落としたりはしない。「ンナトゥイガズ」と呼ばれるカギ状の漁具ですばやくかき出す。礁にへばりつき口を開いたシャコガイは、「ガギジャ」の細いカギ部分を貝柱に突き刺し、左右に動かして剥ぎ取る。

こうして海の彼方からウイラ（海上の神）によって運び込まれたユー（豊穣）を享受できるのは約三時間ほどである。干瀬はふたたび満ちてくる潮にその姿を沈め、壮大な宇宙のパノラマは幕を閉じる。人びとは網袋に詰めた魚介類を持ち帰り、仏壇やウカマヌカン（炊事場の釜の神）に供えて収穫の感謝を捧げ、親族やカツオ船の仲間たちが集い、歌い踊ってサニツの宴は深夜まで続くのである。


「八重干瀬事件」

八重干瀬を含めた宮古近海の一円は現在、池間、平良、伊良部の三漁協が共同漁業権を所有しているが、古くは池間島の専用漁場であった。一九〇六年カツオ漁業が導入され、原始的な突き漁や釣り漁から「カツオの島」一色となった池間は、他に先駆けて一九一〇年にカツオ漁業生産組合を設立した。同年八重干瀬とふじ礁（フディ岩）を法的手続きによって二〇年間の専用漁業権を取得。

存続期間の満了後はさらに更新申請をして、一九三〇年八月には地先水面専用漁業権を獲得した。豊かな漁場を確保できたことに島民は歓喜し、漁業組合主催で開かれた祝賀会では「島をあげて祝い、かつ踊った。会場の小学校は、漁村池間の発展を祝う人びとの拍手で、破れんばかりであった」。(注48)

しかし一九三六年、この最良の漁場をめぐって池間島と伊良部島佐良浜の漁民との間に負傷者を出すほどの漁業権紛争が起こった。当時「八重干瀬事件」とされ、本土にも伝わり『東京日日新聞』（一九三六年五月六日付け朝刊）に報じられた。(注49)

佐良浜はかつて苛酷な人頭税下の荒地開発と村建て政策によって、一八七四年に耕地の狭い池間島の住民が強制移住させられた分村であり、(注50)両者はいわば骨肉の争いへと追い込まれてしまったのである。

池間ほどカツオ漁が発展していなかった佐良浜は周年雑魚漁業に従事する者が多く、八重干瀬の利用度は高かった。佐良浜漁業組合では入漁権設立にもとづいて漁業を行い、入漁使用料を池間へ納めることになっており、その納付金をめぐってのトラブルであった。(注51)歴史的に地先海面は各村の所有とし、他村の地先を利用するときは使用料を納める「海方切（うみほうぎり）」制度が根強く残る沖縄では、大型追込網という漁法を持つゆえに入漁権を拒否されてきた糸満漁民に代表される漁業権紛争が各地で起きていた。もともと海方切制度は、漁獲物の一部を貢租として差し出すことによって漁業が許された琉球王府時代に定められた制度であり、その旧漁業法が、両島の漁業者間に少なからずわだかまりとかげりを残した事件であった。

さかのぼれば八重干瀬もまた、王府時代は貢租対象の管理下にあった。正保年間（一六四四―四七）に検地を行い、制作された『宮古・八重山両島絵図帳』（宮古島の部）には、八重干瀬が次のように記録されている。(注52)

八重干瀬
一、南北三里東西壱里六町四拾間
一、此干瀬ふてのおかミハいけま嶋より寅之方此間弐里拾町
一、此干瀬西之はすれハいけま嶋より亥之方此間壱里拾六町
一、ふてのおかミより西北之角迄五里

このことからも明らかなように、一六〇〇年年余りも続いた人頭税が廃止されたのは、一九〇三年のことであり、豊かな八重干瀬で漁業が営めるようになったのは、明治も中期以降のことであった。

八重干瀬絵図を書き残した池間海人（イキマインシャ）

漁場をわが庭のように知りつくした一人の池間漁民が、八重干瀬とその沿岸の干瀬名を書き残した。伊良波富蔵さん（一九一四―一九七六）である。富蔵さんは旧姓譜久村。池間島の漁師、譜久村金吉の三男として生まれた。クースミャ（コウイカ属の高級イカ）捕りの名人であった父に習い、一五歳から漁業に就き、その高度な漁法を身につけた。

その富蔵さんは一九七五年、すい臓がんに侵され、病床で二〇年来の念願であった八重干瀬とそ

の周辺のサンゴ礁群の図三枚を書き残し、翌年の一月二三日、六二歳で逝った。絵図には伊良波富蔵の署名と、「昭和五十年六月」の作成年月が記され、「池間島沿岸及び八重干瀬」「宮古島東沿岸及び大神島周辺」「宮古島西沿岸及び伊良部島、来間島周辺」の三海域の干瀬名四三カ所が書き込まれた。さらに満潮時の水深一・五メートル内外は斜線で、二メートル内外は枠線のみで干瀬の形を示した詳細なものであった。

富蔵さんの死後もその絵図は限られた関係者の間で眠り続けたがその後、郷土史家の前泊徳正さんと、長男の廣美さん（当時沖縄工業高校教諭）によって、九八カ所まで書き加えられた。実際には一五〇カ所前後はあるとされる幻の大陸の様相が浮かび上がったとして、『日刊宮古』創刊第一号[注53]（一九八二年五月一日）に掲載され、話題を呼んだ。「二〇年をヤビジ図づくりにかけた海の男の物語」として富蔵さんが紹介され、「八重干瀬の一大ロマン」として紙面を飾った。

記事は座喜味英二記者（現・農業法人宮原果樹園代表）によって書かれたものであった。同紙の創刊号から関わり、すでに富蔵さんの情報を手に入れていた座喜味さんは、一漁師の偉業に感動して紙面づくりをしたと思い出を語る。そしてこの記事と絵図は日刊宮古社の許可を得て、『南島の地名　第一集[注54]』に転載され、貴重な資料として現在に継承されている。

富蔵さんが書いた三枚の原図は、甥にあたる松川浩さん（一九五四年生まれ）が所有している。浩さんの母、松川孝子さん（一九二〇—一九九四）は兄の富蔵さんが半身不随に陥った病床で力を振りしぼるように書き始めた現場に居合わせていた。五〇年の漁師生活で調べ上げてきた漁場を後世に残すのは富蔵さんの執念であり、命と引き換えに書いたものだという母からの伝言とともに預けられた絵図を前に、浩さんはあらためてその重さを感じている。「叔父からもっと話を聞いておけばよかった、と後悔しています。イカ釣りが専門だったから、擬似餌（餌木）づくりの名人だったと聞いています」。幻の大陸は、人びとの苦難や喜びをのみこんで、海底に眠っている。

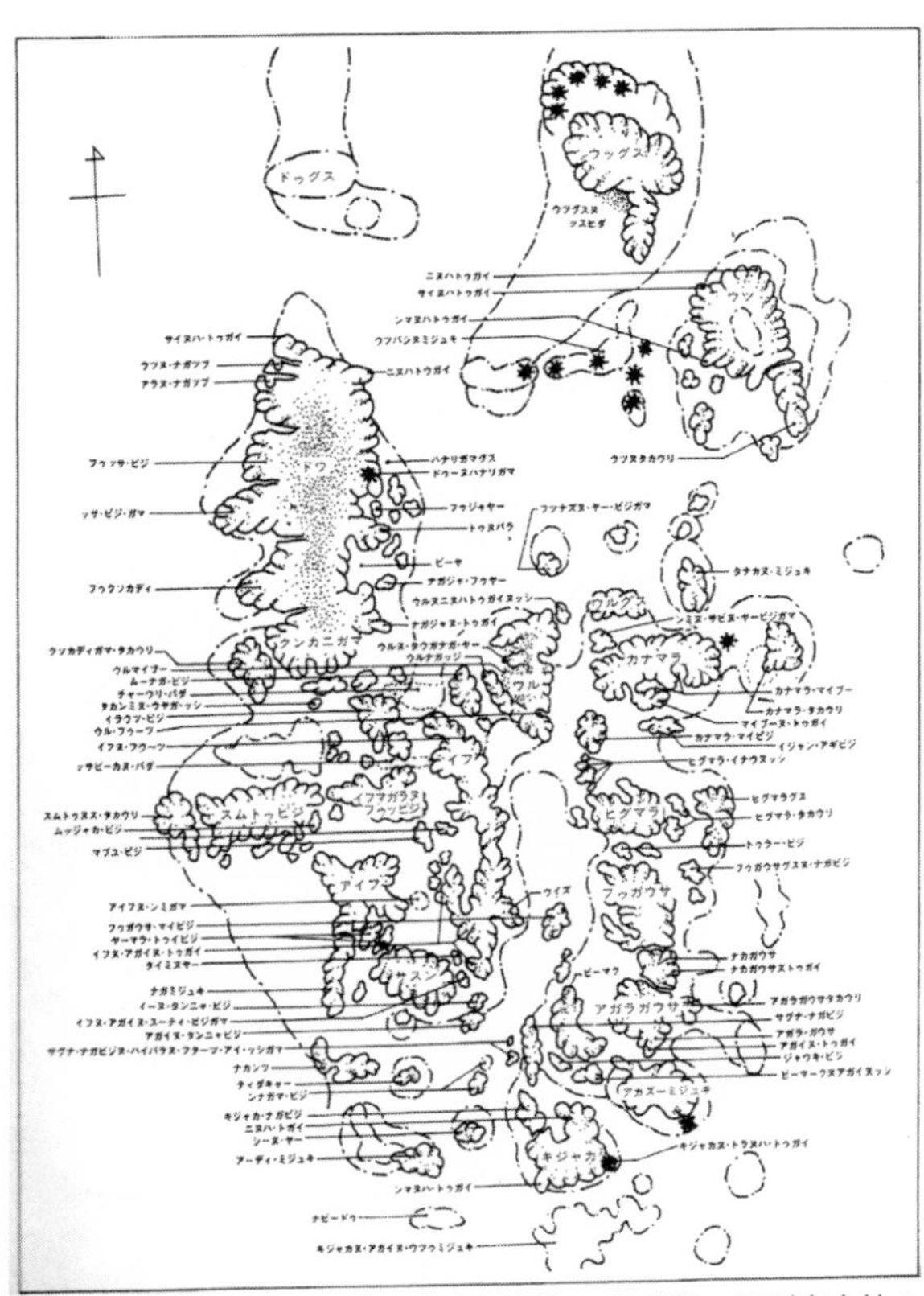

伊良波富蔵さん作成の「八重干瀬絵図」。掲載紙、日刊宮古社の許可を得て転載された『南島の地名』第１集（南島地名研究センター）1983 年。

〈第五章 注〉

1 『池間大橋（補修・補強の取り組み）』二〇一七年三月、沖縄県土木建築部宮古土木事務所。面積は沖縄県『離島関係資料』。池間島の面積は二〇一八年一月「指定離島一覧」による。

2 隣接する宮古島の方言（みゃーくふつ）では「ぱ・ぴ・ぷ・ぺ・ぽ」の破裂音を多用するので、「ウパルズ御嶽」と発音するが、池間島には破裂音の使用はなく「オハルズ御嶽」と呼称する。

3 『宮古島旧記御嶽由来記』旧蔵は東西文化センター（ハワイ）。法政大学沖縄文化研究所複製版所蔵。

4 東恩納寛惇「南島風土記」『東恩納寛惇全集七』第一書房、一九八〇年、七〇四頁。

5 南琉球研究会は法政大学の鴨澤巖文学部教授（一九二四〜二〇〇三）を代表として結成され、宮古島諸島をおもなフィールドにした調査が行われた。参加者の筆者は調査の一部を『法政』（一九八五年一〇月号）に「離島・池間島（沖縄）に生きる女たちの労働と祭祀」として報告。当調査参加をきっかけに単独で池間通いを続けた。

6 森田真弘『仲間屋真小伝（池間島漁業略史）』内外水産研究所、一九六一年、六四〜六五頁。

7 稲村賢敷（編集・発行）『宮古島庶民史』一九五七年、四七三頁。

8 藤森三郎『水産増殖面から見た琉球沿岸漁業振興方策』琉球政府経済局、一九六四年、三四〜三六頁。

9 沖縄県内務部「沖縄県水産状況」（大正一五年四月）、『沖縄県農林水産行政史 第一七巻』（水産業資料1）財団法人農林統計協会、一九八三年、八四頁。

10 民俗学者、酒井卯作先生のご紹介で月刊誌『きらめきプラス』（愛育社）において、「沖縄の女たち」と題した連載の機会を得た。

11 二〇一七年三月末現在の住民基本台帳登録人口と世帯数。宮古市役所市民生活課。

12 二〇一七年四月現在、池開漁業協同組合調べ。

13 二〇一六年一二月末現在、宮古島市高齢者支援課。

14 当時の西銘沖縄県知事も、「池間大橋の完成により、産業、経済、文化の面で大きく振興するものと信じる」とメッセージを寄せた。『琉球新報』一九八六年七月三一日。

15『民俗学辞典』東京堂出版、一九五一年、四四三〜四四四頁。

16前泊徳正『池間島の民謡』HOST・M企画、一九八二年、一三一〜一三五頁。

17拙文「一冊のノートとの出会い―池間島の漁業と離島苦の女性労働」『地域と文化』(第四五号)、南西印刷出版部(ひるぎ社)、一九八七年、二〜一三頁。のち復刻版、不二出版、二〇一七年。

18琉球政府文化財保護委員会監修『沖縄の民俗資料 第一集』一九七〇年、二一二頁。

19大井浩太郎『池間嶋史誌』池間島史誌刊行委員会、一九八四年、二〇二頁。

20前掲『沖縄の民俗資料』二一三頁。

21前掲、大井浩太郎『池間嶋史誌』一二頁、及び「池間島年表」。

22同右『池間嶋史誌』写真頁の説明文。

23砂辺達男「イーヌ・ブー」『宮古毎日』(二〇〇五年四月二七日)。

24沖縄県経済部水産課「沖縄の水産現況」「補助ニヨル舟溜場一覧」前掲『沖縄県農林水産行政史 第一七巻』(水産業資料1)、二二六頁。

25平良市史編さん委員会編『平良市史 第一巻 通史編Ⅰ 先史〜近代編』平良市役所、一九七九年、三六一頁。

26野口武徳『沖縄池間島民俗誌』未来社、一九七二年、九九頁に「マイ・ガー、カータ・ガー、タヌイ・ガー、ムッドマイ・ガー、スーキ・ガー、トゥビィ・ガーなど一一カ所のカー分布が記録されている。

27沖縄県立水産試験場長・立川卓逸「鰹節読本」彙報・第八号、一九四二年。『沖縄県農林水産行政史』第一七巻(水産業資料編)農林統計協会、一九八三年、七九〇頁。

28前掲、野口武徳『沖縄池間島民俗誌』二六七〜二六八頁。

29沖縄県内務部「沖縄県水産概況」(大正一五年四月)前掲『沖縄水産行政史 第一七巻』八四〜八六頁。

30亀井顧一『宮古八重山漁業調査書』法政大学沖縄文化研究所宝令文庫複写版、〇〇〇六九頁。

31平良町役場編『平良町制施行10周年記念誌』(一九三四年)『平良市史 第四巻 資料編2』平良市役所、一九七八年、二一八頁。

32 前掲、森田真弘『仲間屋真小伝（池間島漁業略史）』六九頁、七八～九五頁。

33 大正十年度「沖縄県立水産試験場事業報告」、前掲『沖縄県農林水産行政史 第十七巻』（水産業資料1）七三〇～七三六頁。

34 前掲、森田真弘『仲間屋真伝―池間島漁業略史』一三五～一三七頁。

35 望月雅彦『ボルネオに渡った沖縄の漁夫と女工』ヤシの実ブックス。二〇〇七年、二八～三一頁。

36 「『南方』とは、現在の東南アジア、中部太平洋・ニューギニア方面を総称した」（防衛庁防衛研究所戦史部編著『史料集 南方の軍政』朝霞新聞社、一九八五年、一三頁。

37 石川友紀「海外移民の展開」沖縄県教育委員会編『沖縄県史 第7巻 各論編6 移民』沖縄県、一九七四年、三八八頁。

38 前掲、大井浩太郎『池間嶋史誌』一七八頁。

39 『水産人森田眞弘著作集 激動の沖縄水産を担って』水産人森田眞弘著作集編集会、一九八八年、（年譜と沖縄水産会の動き）二四二～二四六頁

40 同右、一九三頁。

41 前掲、森田真弘『仲間屋真小伝（池間島漁業略史）』一六三～一六四頁。

42 前掲、野口武徳『沖縄池間島民俗誌』一八五頁～一八六頁

43 一五三一年から一六二三年にかけて首里王府によって編纂された全二二巻の歌謡集。

44 目崎茂和「八重干瀬」季刊『民族学』三六号、千里文化財団、一九八六年、七三頁。

45 「正保国絵図」（一六四六年）『琉球国絵図史料集 第一集』沖縄県教育委員会、一九九二年、八四～八五頁。

46 新里幸昭『宮古の歌謡付・宮古歌謡語辞典』沖縄タイムス社、二〇〇三年、三三九頁。

47 琉球政府文化財保護委員会監修『沖縄文化史辞典』東京堂出版、一九七二年、一六二頁。

48 前掲、森田真弘『仲間屋真小伝―池間島漁業略史』九〇～九一頁。

49 前掲『平良市史 第一巻 通史編一（先史～近代編）』三六六頁

50 「宮古島在番記」平良市史編さん委員会編『平良市史 第三巻 資料編1 前近代』平良市役所、一九八一年、一二五頁所収。
51 前掲、森田真弘『仲間屋真小伝―池間島漁業略史』一三八～一四二頁。
52 平良市史編さん委員会編『平良市史 第三巻 資料編1 前近代』平良市役所、一九八一年、六二〇頁。
53 『日刊宮古』創刊第一号、一九八二年五月一日発行、一九九二年三月三日廃刊。沖縄県立図書館にマイクロフィルム複製本として所蔵。
54 南島地名研究センター編『南島の地名 第1集』新星図書出版、一九八三年、七〇～七六頁。

第六章　漁業の島の祭祀

池間島最大の祭祀であるユークイ。アーグシャーとナカンマの二人だけが海岸先に立ち、トゥーヌカン（唐の神）を崇め遥拝する。旧暦９月３日（1985年）

悪霊祓いと浄化を願う動物供犠

豚の命を捧げる再生儀礼

池間島の神願いの中で特徴的なのは、豚を殺して神に供える祈願、「ワーガンニガイ」（豚神願い）である。屠殺した豚を神に捧げ、調理して近隣や親族を招いて共食する。費用がかかり神願いの中でもっとも盛大である。この願いには公的な祈願と個人的な祈願がある。公的なワーガンニガイの一つは、集落に悪霊や疫病など霊的災難を防ぐスマフサラ（島臭ラ）と呼ばれる悪霊祓いである。シマクサラシ、シマクサラー、カンカー、フーチゲーシ、アキバライなど地域によって呼称は異なるが、沖縄各地で行われ、その目的は集落内に徘徊する悪霊を追い払い清めることである。集落の出入り口にあたる境界線で災疫の侵入をさえぎるいわゆる「道切り」の民俗行事である。

池間島のスマフサラは、豚を屠殺し、肉は各世帯に配分し、骨を集めて守り神として縄にしばり、村の入り口にあたる四カ所につるす。

動物の死骸や遭難者、水死体などの漂着、洞窟内の死臭を放つ物体による疫病の流行を防ぐ呪術儀礼である。この儀礼はユークインマ（ユークイ祭祀に参加する五一歳から五五歳までの女性）が参加する大規模なものである。ユークインマたちは悪魔祓い用のダキフヌハー（浜木綿の葉）で作った手草で払いながら「ヤマグー、イダシバ」（山賊を出せ）を連呼し、島の中を駆けまわる。（注1）

安全航海や大漁を祈願するヒダガンニガイ（浜神願い）も、豚を屠殺し島全体の安泰と繁栄が祈願される。かつては新旧のツカサンマ一〇人、村のダツンマ（漁業専用の神願いをする女性）二人、各漁船に所属するニガインマ（船長夫人と各船専属の女性）が勢ぞろいした。漁業の島にとって欠かせない祭祀であり、現在も漁協主導で継承されている。さらに、前出のカツオ漁船一四の祈願のうち、ハジメニガイ、ウヤカタニガイ、リュウキュウニガイ、オワリニガイ、ワーガンニガイが慣例であった。

個人の祈願としては、トゥクヌヌカンニガイ（屋敷神の願い）、ミーティガユーイ（家を作ってから三年目に豚を殺して盛大にお祝いをする）、リュウキュウウサギ（竜宮の神に対する願い）、ンヌッタイウサギ（命の代わりの願い）がある。「ンヌッ」は命、「タイ」は代わりの意で、命の代償として豚を捧げて祈願をする。

ワーガンニガイは、①溺死体を発見した人、②溺死体に触れた人、③溺れかかった人を助けた人、④海で遭難し、奇跡的に助かった人、⑤フカに襲われて助かった人、⑥命にかかわるような大きい災難にあって助かった人などが出た場合も欠かせない祈願だ。（注2）

竜宮の神に救命願い

私が個人的な「ワーガンニガイ」に遭遇したのは一九八八年夏のことだった。地平線に日が沈み、暮れなずむ海辺で男たちが豚の解体に取りかかろうとしていた。

首を絞められた豚は、全身を覆っている硬い毛をガスバーナーで取り除かれていた。すると死んだと思った豚が息を吹きかえし、猛スピードで逃げだした。高額な豚を逃がすわけにはいかない。男たちは必死でその豚を捕える。そんなハプニングの後、豚はベニア板に載せられ、解体が進められた。頭をていねいに切り取り、肝臓、心臓、脾臓などの内臓をきれいに海水で洗い、祈願に用いられる大切な「ハナ」と呼ばれる「尾、目、耳、爪」などの先端部分を切り落とし、バナナの葉に包んで持ち帰る。神に供えるための骨を分離し、肉は食用に大鍋で煮込む。現在は「屠畜場法」などで、屠場以外で食用の獣畜を屠殺解体することは禁じられているため、もはやこうした光景に出会うことはない。

ワーガンニガイを受けるのは仲地勇人さん（一九五八年生まれ）だ。ちょうど三〇年前、二九歳を迎えた勇人さんは独立して沖縄本島の島尻郡に車の修理工場を開いた。三人の子の父でもあり、活気に満ちた年であった。そんな時代のある夏の日、友人三人で恩納村字名嘉真の海へ潮干狩りに出かけた。沖縄本島北部の西海岸に位置し、北西に東シナ海を望むミッションビーチ付近にあるプライベートビーチだ。砂浜の小さな洞窟で昼食をしようと、持参したウォーターキーパーの冷たい水でのどを潤していたとき、真っ青な顔をした若い青年がふらふらと姿を現し、水を求めてきた。

青年は一気に二リットルほどの水を飲みほした。見ると爪は真っ白でかなり衰弱している様子だ。自殺を図ったが死にきれないとつぶやいた。おにぎりも欲しがったが、そんな衰弱した体に無理だと思い、勇人さんは近くのコンビニに走り、ポテトチップスを買い、水に浸して柔らかくして勧めた。そして警察に通報したところ、一カ月ほど行方不明になり捜索届が出されていた青年だと分かった。

後日、その両親からお礼の電話をもらった。なんと青年は一週間後に結婚式を控えていたが、相手の女性から突如婚約を破棄され、悲観して姿を消していたのだという。命を取り留めた恩人だと、

集落の祭祀の儀礼場である水浜広場で祈願（1988 年）

自殺者を助けた仲地勇人さんのために大掛かりな祈願が執り行われた。豚の頭は家族だけで食する

水浜広場から屋内へ。解体された豚は四つ足、鼻、耳、しっぽの先端、あばら骨、肋骨など、豚 1 頭分をかたどり供えられる（1988 年）

感謝された。

日常の生活に戻ったある日のこと、ふるさと池間島の母、政子さん（一九三三―二〇〇四）から電話がかかる。だれかを救助したかと問われたのだ。母はここ数日、悪夢と胸騒ぎに悩まされ、占いや予言をするムヌスー（物知り・ユタ・呪術的宗教職能者）のもとを訪ねると、「あんたの息子が旅先で人を助けている」というハンジ（吉凶判断）が出たという。そこで勇人さんは恩納村での出来事を伝えると、母は息をのんだ。それは大変だ、本来、海のいけにえとなるべき者を助けてしまった以上、竜宮の神に対してそれに代わる供物を捧げる神願いをしなければならないからすぐに帰ってくるようにと言う。勇人さんは急いで池間島へ帰った。自殺者などを救助してそのままにしておくと助けた人やその関係者に必ず被害がおよぶという。しかも勇人さんの父、仲地広一さん（一九三二年生まれ）は「弘丸」という漁船の船主であり、被害の拡大を何より恐れたのだ。島の神事を司る五人のツカサンマの中でアーグ（神歌）を謡う役目を担ってきたアーグシャー経験者の奥浜キヨさん（一九一三―二〇〇〇）に依頼し、「リュウキュウタスキブンニガイ」（竜宮の神に救命を願う）が執り行われた。竜宮の神に、「これ以上の災難に遭わないようにしてください。どうぞ助けてください」と祈願する大掛かりなものであった。

祭祀や御願が行われる集落の儀礼の場として機能している水浜広場はすっかり日が落ち、花米、塩、神酒が供えられ、暗黒の海に向かって祈りが捧げられた。勇人さんも母も父もその長い祈りに従い、無事を願った。

祈りの場は自宅に移り、解体された一頭分の骨が盆にのせられて仏壇前に供えられる。切り落とされた四つ足、鼻、耳、しっぽの先端が広げられ、その上にあばら骨を重ね、最上に肋骨を載せて、豚があおむけになった体形にかたどる。肉の部分は縁戚の者が大鍋で煮込み、関わったすべての人に配分される。

当時、私は島の二大行事である「ユークイ」と「ミャークヅツ」を取材していた。たまたま遭遇したのが、この勇人さんの「ワーガンニガイ」だった。祈願の意味を深く理解するゆとりのないままシャッターを押し、写真だけが手元に残った。そして三〇年の時間が経過した。今回、私はあらためて勇人さんを探して連絡を取り、この祈願が一体何だったのかを確認することになったのだ。彼は私との出会いを昨日のことのように記憶しており、その内容を手がかりに祈願の形態を知ることができたのだった。

依頼されてダビワーの祈願をするムヌスーの奥浜サダさん（1988 年）

大きなおにぎり 2 個と豚の煮付 2 皿の膳が返礼される。長嶺朝成さん（左）と仲間メガさん

共食といけにえのダビワー

島の六〇歳以上の人が死亡した場合は、長寿をまっとうした人生にあやかり、豚を屠殺して神々に捧げ、親族や参加者一同で共食する。その儀式と豚をダビワー（茶毘豚）と呼んだ。参加者と共に神酒や供え物を食する、いわゆる直会(なおらい)は、神事としての共食儀礼である。

宮古島群島にみられる葬送のダビワーに関して、僧侶であり民俗学者である岡本恵昭は、「いけにえ」と「共食」の二通りの儀礼があったとする。里や親戚の女たちが煮炊きした数々の献立が盛られ「死者を供養し、泣きながら食べた。そこに参加する人びとは、必ず食べた。…共食による魂の参加と死者と生者との別れの食膳が、どうしても葬送の儀礼のなかで出てこなければならず、そこに必然的な〈別れ〉の区切りが、示されてこなければならないのである」としている。(注3)

ダビワー儀礼をしないと地獄に行くといわれ、豚を食べるときにはこれは婆ちゃんの骨だとか、爺ちゃんの骨だと言って食べる。このダビワーの風習の由来について、池間島では、大昔は死人を食べたという伝承が紹介されている。(注4)

しかし現在、池間島に共食の形態はない。特徴的なのは、祈願に関わった女性に、茶碗三杯分ほどの大きなおにぎり二個と、豚の煮付二皿をセットにした持ち帰り用の膳が、返礼として準備されることだ。

沖縄学の祖、伊波普猷は広義的に「昔は死人があると、親類縁者が集まって、その肉を食った。後世になって、この風習を改めて、人肉の代わりに豚肉を食ふようになったが、今日でも近い親類のことを真肉親類（マッシシオカエ）といい、遠い親戚のことを脂肪親類（ブトブトーオカエ）という民間伝承がある」と記している。(注5)
いずれにしても骨が重要な意味をもつことは事実だ。
記録作家の上野英信は、廃鉱後の筑豊から出稼ぎにでて遺骨となって帰省した元鉱夫の葬儀に関してこう書く。「形ばかりのささやかな骨嚙みがおこなわれた。骨嚙みとは、弔いのことをいう筑豊の土語である」。(注6)　柳田國男もまた肥前五島では葬式の日に、喪家でご馳走になることを「骨咬み」、または「骨ヲシャブル」という事例を挙げている。(注7)
精神的な意味合いからかつて実際に骨をしゃぶったのは、「死んだ人に敬意を表する、または、死んだ人の形見を自分の身に入れておくことになる」とするのが折口信夫である。喪家のかまどで炊いたものを食べるのは、共食の式を行うことであり、死者と同格になり、離れぬ関係を結ぶこと、死者の魂を自分の体に入れておくことになるというのである。(注8)
池間島に生まれ、島の民俗語彙にこだわる詩人の伊良波盛男は、伝聞として伝えられる原始古代のカニバリズム（食人風習）に対し、「ダビワー儀礼がいつのころに池間島にもたらされたかは定かでないが、この宗教儀礼は、先祖崇拝や信仰と深く結びつき、島の繁栄、安全、安泰、人命にかかわる重要なカンニガイ（神願い）として受け止められ、豚を屠殺して神々に捧げ、健康と繁栄を祈願し、また人命救助も求める宗教儀礼となっている」(注9)とする。
池間島では葬式の当日か三日目までの間に、ムヌスーを呼んで、「カンストバカーイ」（神と人との別れ）という儀式を執り行う。一九八八年に私が出会った奥浜サダさん（当時七六歳）は、神と死者の声を聞き取る能力を持ち、島のブソーズニガイ（不精進の願い）を一手に引き受けていたムヌスーの一人だった。サダさんによると、三日目の段階では、神（あの世）と人（この世）の中間を行き来していて、まだどちらの存在かはっきりしないという。九日目から三カ月はいわば神になる訓練期間であり、葬式から三カ月（ミッツ）を過ぎると、完全に神になったとされ、「ミッツガカンナイユーイ」（神になった祝い）という儀式が開かれるのだと語ってくれたサダさんの説明に、私は心を打たれた。

池間のできごとをノートに書き残した前出の吉浜カナスさんは、一九九一年一一月、沖縄本島首里の次男夫妻の新築の家で亡くなった。夫妻は九三年の人生を離島の歴史と共に生きたカナスさんの葬送を池間方式で執り行ったという。九日目の儀式には前もって弔事用の豚を注文。骨を供え、調理した肉は親族たちで食しながら供養し、思い出話につきることがなかったという。

「離れ願い」の儀式

川上慶子さん（一九三六年生まれ）は、母、親泊文さん（一九一五―二〇〇二）のダビワーを経験している。文さんは戦後七代目のフズカサンマ（大司）を務め、池間の神事を担ってきた人だっただけに、多くの島人がその死を惜しんだ。現世との別れのカンストバカーイの儀礼も、三カ月たって完全に神になったというミッツガカンナイユーイにも、祝いの膳を準備し、訪れた人びとと共に冥福を祈った。

しかしその慶子さんにはこうした儀礼を通じても、いつまでも心の整理がつかなかった悲しい思い出がある。一九六五年一二月、カツオ船の会計を務めていた夫の川上鉱成さん（一九三六ー一九六五）が、虫垂炎から腹膜炎を起こし急死したのだ。長女（三歳）と長男（四歳）の幼子を残しての別れに、慶子さんは一年たっても精神的に立ち直れなかった。

その後も自らに言い聞かせるように、ハツナンカ（初七日）、フタナンカ（一四日目）、ミナンカ（二一日目）、ユナンカ（二八日目）、イツナンカ（三五日目）ムナンカ（四二日目）、シジュウクニチ（四九日目）と、七回のナンカスウコウ（七日焼香）を欠かさず行い、心を込めて献立を調理し、神酒と共に供えてきた。それでも悲しみは消えず体調は回復しない。そこでムヌスーをたずねると、「旦那さんはあなたたち母子が心配で、向こうの人になれずに迷いの雲の中に留まっている。自分の死を受け入れられずにいる。そんな魂にはっきり死を自覚させ、神の人になりなさいという励ましの願いをしなさい」と勧められ、「離れ願い」という儀式を行った。

池間島の北西部海岸には、「天に上る道」（ティンカイヌーインツ）という聖域があるという。伊良波盛男は、「人が死ぬとその魂は、この聖域の石を踏み台にして天にのぼってゆくと考えられた。アラガミ（荒神）がおわすアラドゥクル（荒所）として畏怖の念を禁じ得ない聖域」であるとする(注10)。

儀式によって慶子さんの夫、川上鉱成さんは「天に上る道」を無事に通過できたのだろうか。呪縛から解かれた若き妻は、雑貨店を営み二人の子を教育した。現在、長男も長女も島外で家庭をもち、四人の孫たちが訪ねてくるのを楽しみに待ちながら、静かな老後を過ごす慶子さんである。

異常死と幼児の死

高齢者がダビワー儀礼によって手厚く葬られるのに反して、死産の子や一〇日未満で死亡した幼児は「アクマ」（悪魔）「アクマガマ」と呼ばれ、会葬されなかった。そればかりか日没後に衣類や布切れなどにくるまれ、人目を避けて人里離れた地域や西海岸の白砂がまぶしい「アクマを捨てる浜」（アクマッシヒダ）と呼ばれる小洞窟に捨てられたという。(注11)

さらに残酷な報告もある。明治末期までは頭にくぎを打ち、斧や刃物で切り裂いて「二度と生まれてくるな」と言いながら、集落の北の洞窟に親戚の者が夜中に持って行った。一九七〇年代には、生後一カ月足らずの赤子はソーメン箱などに入れて葬る場合もあったが、一般には墓の前庭の両端に穴を掘って埋め、目印として浜木綿(はまゆう)やアダンの木を植えておくという。(注12)八〇年代に入るとアクマを捨てる浜も、池間港竣工整備にともなう埋め立てによって消滅し、離島時代の因習は消えた。

また、けがによる事故死者、水死人、自殺者、他村での死者を「キガズン」（キガは怪我、ズンは死）と呼び、墓に埋葬することは禁じられ、海岸の洞窟「青籠(アウグムイ)」に葬られた。集落の人びとは異常死を恐れ忌み嫌い、共同体から徹底的に排除してきたのだった。

悪魔祓いと幸運の招きは同じ地平線上にあり、供犠はもっとも大切な物を神に捧げ、人間も共食することで、神々とつながり、悪霊祓いと恩恵をもたらしてくれると人びとは信じ、いまもなお高価な豚をいけにえとしているのである。

ユークイ祭祀の御嶽と秘儀性

祭祀と神役組織

宮古・八重山の先島諸島で呼称される「ツカサ=司」は、沖縄本島やその周辺の島々のノロに当たる。(注13) 池間島では「ツカサンマ」(ンマは母の意)と呼ばれている。これまで住民のくらしはツカサンマたちによって担われてきた。マビトゥダミニガイ(住民の健康願い)、シートガンニガイ(学童の学力向上の願い)などの日常的な祈願から、ズユシニガイ(魚寄せ願い)、ウフビューイニガイ(粟の豊作願い)、マミダミニガイ(豆の豊作願い)などの漁業と農業の祈願にいたるまで、代々引き継がれてきたツカサンマの手帳に記録される祭祀は五〇にのぼる。その組織は五人によって構成され、任期は三年である。

最高神職のフズカサンマ(大司)、アーグ(神歌)をうたうアーグシャー(あるいは神憑りをすることからカカリャンマとも)、神事を円滑に運ぶ役目のナカンマ(中司)、小間使い役を務めるトモンマ(お供)の姉役をアニンマ、妹役をウトゥガマンマという。フズカサンマの持ち物を運び、お供するなど直接かかわることはアニンマの役目で、御嶽での祈願中にフズカサンマがトイレを使用するときも付き添う。その補助を務めるのがウトゥガマンマである。

選出には、島に住む五一歳から五五歳のすべての女性を対象に、ユリ（揺る）と呼ばれる方法で決められる。島内の該当者の名前を書いた紙片を球状に丸めて盆の上に並べ、オハルズ御嶽の神の前で自治会長が盆を揺り動かす。丸めた紙片が落ちるたびにその名前を記入し、最初に七回落ちた人をフズカサンマとし、次にアーグシャー、ナカンマ、アニンマ、ウトゥガマンマの順で決めていく。「神によって選ばれたツカサンマ」として、その日から五人は大きな任務を果たしていかなければならない。とくにフズカサンマにはさまざまな制約が課せられる。

①任期中は島から一歩も出てはならない。
②一人で出歩いてはならない。島内であろうとアニンマをお供に伴わなければならない。
③頭に物を載せて運ぶ慣習的な頭上運搬をしてはならない。
④畑仕事をしてはならない。
⑤必ず髪にべっ甲のカンザシをつける。任期が終わっても終生つけ続ける決まりなので、フズカサンマの経験者であったことが終生つきまとう。
⑥死後はティラ墓（テーブル珊瑚造りで遺骨を埋葬する墓とは別に石碑や墓柱を設けて霊魂を祀る両墓）に埋葬されなければならない。嫁ぎ先の墓がティラ墓でない場合は夫とは別の墓に入ることが要求される。

こうしてフズカサンマは聖なる存在として、権威づけられていく。

その制度と伝統は古い。琉球国の尚真王時代に制定された宗教支配の手段として各地に配置された神女組織にさかのぼる。その下部組織として宮古・八重山では大阿母（ウファム）が置かれた。宮古の大阿母は一五〇〇年、中山王府が兵を発して八重山を制した「オヤケ赤蜂の乱」で功績のあった宮古の仲宗根豊見親（なかそねとぅゆみや）が、宮古頭職首に任ぜられ、同年王府からその夫人ウツメガが、大阿母に任じられた。宮古大阿母のもと一六の御嶽にツカサが置かれ、池間島のオハルズ御嶽とツカサもそのひとつであった。[注14]

祭祀の担い手であるツカサンマの存在がいま危うい。現代化の潮流の中でなり手がなく、五人

ユークイ祭祀の準備儀礼。ウドゥヌで祈りを捧げるフズカサンマの新城サヨさん（1985年旧暦9月1日）

神役図

池間の神役組織と祭祀集団の成員

- フズカサンマ（大司）
  - アーグシャー（神謡を謡う役目） / ナカンマ（中司・進行役）
  - アニンマ（お供の姉役） / ウトゥガマンマ（お供の妹役）
  - ユークインマ　51歳から55歳の全女性
  - ダツンマ　ヒダガンニガイの主宰者

そろってのツカサンマは二〇一〇年から二〇一二年までの三年間までだった。二〇一五年は二人、二〇一六年は一人、現在は存在しない。それだけに地元では祭祀継承をさぐる意味からも、記録を残す重要性が求められている。

神々が降り立つ聖域

私は一九八五年一〇月一四日（旧暦九月一日）から三日間行われた、池間島最大の祭祀であるユークイを取材調査する幸運に恵まれた。ユーは豊穣、クイは乞うを意味し、豊穣を祈願する祭祀である。池間島の宗教は神願いによる御嶽（うたき）信仰である。

私が出会ったツカサンマは、フズカサンマ（新城サヨ・一九三二年生まれ）、アーグシャー（村山昭代〈通称マサヨ〉・一九三二年生まれ）、ナカンマ（吉浜良子・一九三一年生まれ）、アニンマ（嵩原シズ・一九三一年生まれ）、ウトゥガマンマ（糸満照子・一九三一年生まれ）であった。五人は一九八三年に就き、三年の任期を終える年を迎えていた。

ユークイの起源伝承は、仲間豊見親（なかまとぅゆみゃ）という人物が鹿児島から導入したといわれ、その伝説に従ってツカサンマやユークインマ（ユークイに参加する五一から五五歳の池間に住むすべての女性）たちが巡拝する始めと終わりに、仲間豊見親の屋敷跡の「ナカマニー」で祈願するのがしきたりだという。(注15)

史料的には一七二七年に編纂された宮古島の史書『雍正旧記（ようぜいきゅうき）』に「平良四ケ村旧式」に「世乞神の事」の記事もあり、(注16)四ケ村（しかむら）（下里村、荷川取村、西仲宗根村、東仲宗根村を指す）で「世乞い」が行われたとされているが、池間のユークイと同様のものであるかは不確実だが類似性はうかがえる。

　この年が最後の務めとなる新城サヨさんのお宅を幾度となく訪ねたが、着物に巻き帯をキュッとしめ、背筋を伸ばした立ち居振る舞いには気迫さえただよう。家庭にあっても個を抑え、常に村人の健康と平安と富を願う聖職は、あまりに重かったに違いない。指定日に出す生ごみも三年間、夫の初男さんが運んだ。

担当する御香炉を整えるフズカサンマの新城サヨさん（左）とナカンマの吉浜良子さん。フカラハイに足をつくのは禁忌

アーグシャーの村山昭代さん（先頭）は、アーグをうたいながらユークインマたちに清掃をうながす

祭祀前日の準備と儀式

　慣例としてユークイは、例年旧暦九月の甲子（きのえね）か戊子（つちのえね）（干支による日付）を初日とする。

　一九八五年旧暦九月一日（丙戌（ひのえいぬ））、ユークイの準備が始まった。フズカサンマの新城サヨさんは風呂場で水を浴び、塩水で体を清めて、小さな鏡の前で髪を結っていた。白い長襦袢の後ろ姿は凛として美しい。ツカサンマはパーマを禁じられているので、長いストレートの髪を束ね、象徴であるべっ甲のカンザシをさした。

すでに待機していたツカサンマたちは、神衣をつけたサヨさんを先頭に、アーグシャー、ナカンマ、アニンマ、ウトゥガマンマの順で、オハルズ御嶽へ向かう。樹木が繁る大きな森が迫ってくる。神歌にナナムイと謡われる御嶽だ。明治期以降、神社を等級化する社格制度や神社合祀で御嶽の様相は変化した。一九一八年にはオハルズ御嶽に鳥居が建設され、大主神社と刻印された。それでもいまなお一般には立ち入りが禁止されている聖なる御嶽であることには違いない。

池間の民俗誌を研究してきた大井浩太郎は「本来御嶽は祈願する場所で、社殿などは問題ではなく、森そのものが御嶽である」と記述する。御嶽にはクバ、松、榕樹（ようじゅ）（ガジュマル）などの老木がまじっていて、その樹々の間にクロツグ（マーニ）、月桃（サンニン）、など神々の好む草木が生い茂るのが、御嶽のしるしだとする。(注17)

第一の鳥居周辺には、ユークイ行事に参加するユークインマたち一九人がそろってツカサンマたちを迎える。神女たちは全員履き物を脱いで鳥居をくぐる。コンクリートの参道は一〇〇メートルほど続き、御嶽前の第二の鳥居に着く。ユークインマたちはツカサンマの御願儀礼がすむまでは入れない。参道右側のサンゴを敷き詰めた場所に集まり、腰を浮かしてかがむタチビー（立ち腰）の姿勢で待つ。

次頁の図は一九八五年当時に作成した内部図を、二〇一七年の再取材によって再会したアーグ

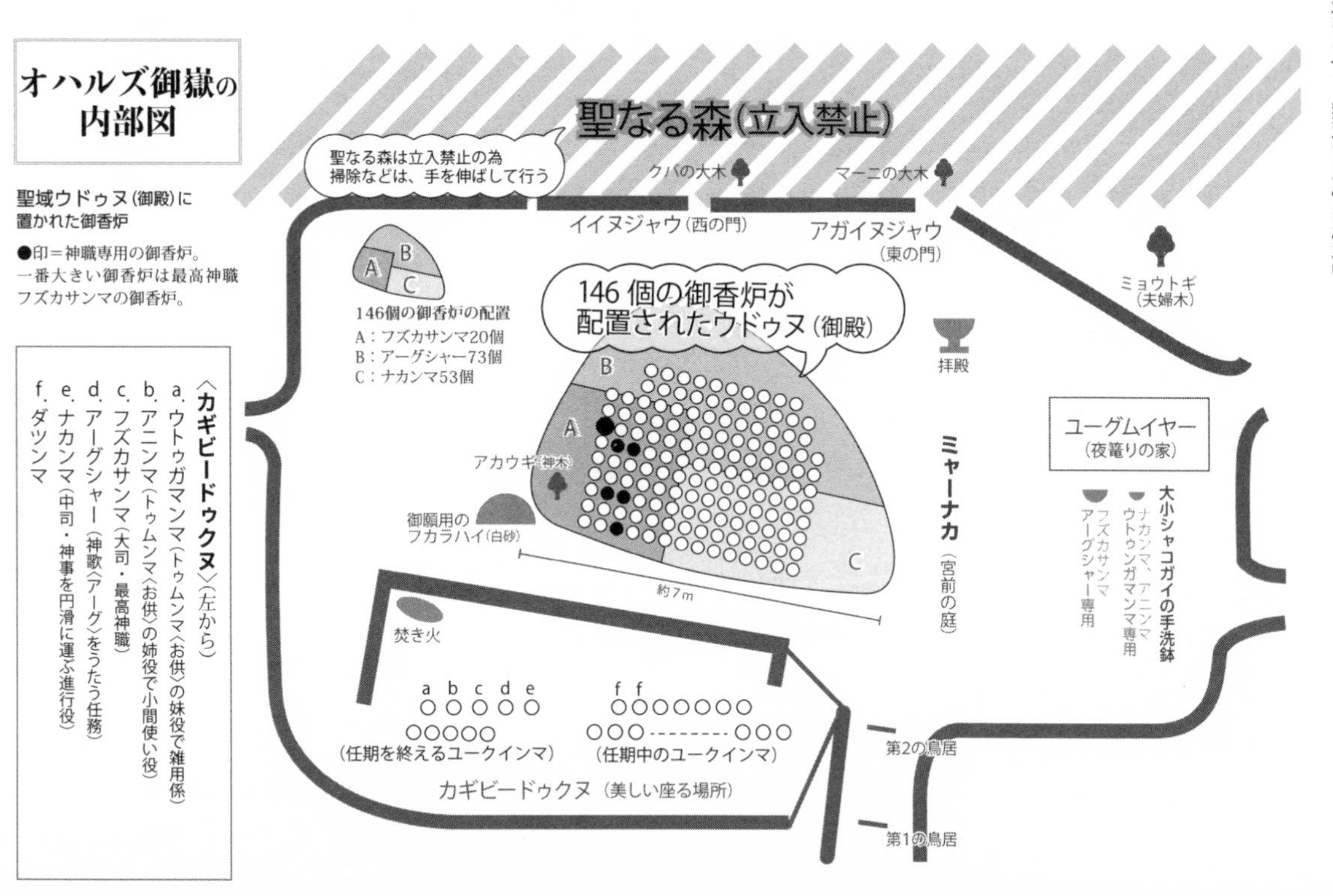
オハルズ御嶽の内部図
聖域ウドゥヌ(御殿)に置かれた御香炉
●印＝神職専用の御香炉。一番大きい御香炉は最高神職フズカサンマの御香炉。
聖なる森(立入禁止)
聖なる森は立入禁止の為 掃除などは、手を伸ばして行う
クバの大木
マーニの大木
イイヌジャウ(西の門)
アガイヌジャウ(東の門)
ミョウトギ(夫婦木)
146個の御香炉の配置
A：フズカサンマ20個
B：アーグシャー73個
C：ナカンマ53個
146個の御香炉が配置されたウドゥヌ(御殿)
A
B
C
拝殿
アカウギ(神木)
御願用のフカラハイ(白砂)
約7m
ミャーナカ(宮前の庭)
ユーグムイヤー(夜籠りの家)
大小シャコガイの手洗鉢
ナカンマ、アニンマ ウトゥンガマンマ専用
フズカサンマ アーグシャー専用
焚き火
a b c d e
(任期を終えるユークインマ)
f f
(任期中のユークインマ)
カギビードゥクヌ(美しい座る場所)
第2の鳥居
第1の鳥居
〈カギビードゥクヌ〉(左から)
a. ウトゥガマンマ(トゥムンマ〈お供〉の妹役で雑用係)
b. アニンマ(トゥムンマ〈お供〉の姉役で小間使い役)
c. フズカサンマ(大司・最高神職)
d. アーグシャー(神歌〈アーグ〉をうたう任務)
e. ナカンマ(中司・神事を円滑に運ぶ進行役)
f. ダツンマ

シャーの村山マサヨさん、二〇一〇から二〇一二年のフズカサンマ山口ゆかりさんとアーグシャーの小禄有子さん、その他関係者に確認しながら修正したオハルズ御嶽内部図である。

（参考文献：野口武徳『沖縄池間島民俗誌』二二〇頁。大井浩太郎『池間嶋史誌』三三二頁。）

聖なる宇宙空間と儀礼構造

御嶽には神願いの中心となる一四六個の香炉が置かれた「ウドゥヌ」（御殿）と呼ばれる聖域がある。大量の香炉を埋め込むように盛られたフカラハイ（白砂）は、御願のたびに新しい砂と入れ替える。ウドゥヌ近くには砂の盛山が準備されていて、トモンマの二人が毎月一日と一五日に、集落の重要な祭祀の場である「ミズハマ」の砂浜から運んでおくのだ。

その香炉は図のように、A区分の二〇個がフズカサンマ担当、B区分がアーグシャーの七三個、C区分の五三個をナカンマが分担する。その聖なるウドゥヌに足を着くことは禁じられている。膝立ちの姿勢で両足先を上げ、左手で上体を支えながら担当の香炉とその周辺の砂を入れ替え右手で整えていく。そして以下の手順で儀式は進行する。

①フーダダマ（キセル煙草の儀礼）

祭祀で欠かせないのがキセル煙草の喫煙儀礼である。願いの始めと終わりには必ず「フーダダマ」と称してキセル煙草を吸う。ウトゥガマンマがすでに用意した火種を貝がらの灰皿に入れ、アニンマがまずフズカサンマのところに持っていく。フズカサンマはキセルを頭上に捧げ、三回ほど吸ったら頭を垂れて感謝する。

祭祀と喫煙儀礼に関して、道光二〇年（一八四〇）の『聞得大君加那志様御新下日記』[注18]に、多くの喫煙用具が登場する。御たはこ盆、御たはこ美きせる（中城王子）、船形たはこ盆（三司官國吉親方）、割御たはこ（王子衆）、角たはこ盆壹束、高麗きせる三拾などの記載が見え、琉球の祭祀儀礼には不可欠な存在である。民俗学者の酒井卯作は、ツカサンマが祭りの後半に煙草を吸うのは、「神と合一」という意味があり、琉球伝説では煙草は自然に生えた草で、宗教的な意味をもったところがあると分析する。[注19]

②五四の神々の御香（うこう）を数える

アーグシャーは、ユークイヤーを建てる位置の「カギビードゥクヌ」（美しい座る場所）で、神々の名を唱えながら、五四の神々に線香を各三本ずつ数える。ツカサンマの分も含め二〇〇本ほどになる線香の大束を苧麻（ちょま）（宮古上布の麻糸）で結んで、ウトゥガマンマに渡す。ウトゥガマンマはその線香の束に火をつけ、アニンマに渡す。アニンマから受け取ったフズカサンマは煙立つ線香の束を香炉に立てて、願いの目的を述べる。

次にミャーナカ（拝所前の庭）に持参した酒二合、盃、米、塩を供えて、フズカサンマから順にその盃を受けて、「ユークイを迎えますので、これからフヤーフキ（小屋葺き）の作業にとりかかります」と神々に報告する。ウドゥヌでのツカサンマ五人による祭祀前日の儀式は終了する。

③聖木で魔除けの杖を作る

フズカサンマはナカンマを連れて聖なる森の奥に分け入る。巡拝の際にフズカサンマが悪神を振り払うために使用する杖の材料、ハナキャーギと呼ばれる一本の樹木を探し当てる。根元から切り落としても、翌年には必ず同じ丈に伸びているという聖木である。ナカンマは樹皮を剥いて杖を作り、フカラハイの左端にある神が降り立つといわれるアカウギの木に立てかけておく。

④夜籠りの小屋を造る

島の男たちも手伝いに集まってくる。フズカサンマの新城サヨさんはその中の男性一人を連れて森に入り、ユークイヤーを建てるための木材を選ぶ。「これは柱用、これは横木用」と小屋造りに必要な木材をカマで印をつけると、男性が伐採する。フズカサンマが選んだもの以外勝手に切ることは許されない。前日に各家庭から提供、外門に運び込まれたススキの葉が運び込まれ、またたく間に小屋ができあがっていく。

⑤神歌に導かれて清掃と準備

御嶽周辺の茂った樹木は、アーグシャーが「タビハイ」(旅栄え)の神歌を謡いながら、ユークインマたちを導き、張り出した枝を払い落し清掃させる。他方、三年の任期を終えたメンバーはナカマニー(仲間豊見親の屋敷跡)を担当する。それぞれの仕事が終わったら、全員で夜籠りのあとの拝所めぐりで使用するテウサ(手草)とキャーン(草冠)づくりに取りかかる。「スカニギー」と呼ばれる葉を切り取り、草冠用のつるを取りそろえる。さらにクバの葉を切り落としてフゥダタミ(敷物)を作る。フズカサンマのものはアニンマが作る。すべての作業が終わると、フズカサンマはミャーナカに神女たちを集め、夜籠りの準備が整った感謝の踊りで盛り上げるのである。

⑥口嚙(くちか)みで神酒を作る

ユークイヤーを造り、明日の夜籠りの準備作業が終わった午後、ツカサンマたちには神酒造りという重要な仕事が待っている。フズカサンマの家に集まり、大鍋で煮た芋を原料にした「ンマダリ」（ンムは芋）という神酒が作られる。

ナカンマの吉浜良子さんが、前もって歯を磨いた口にその材料を含み噛み砕き吐き出す。唾液によって発酵させるのだ。とろりとした未発酵の液体は各自の酒瓶(ミキガミ)に詰められ、火であぶった芭蕉の葉で蓋をする。魔除けの塩の小袋を添えてススキの葉で瓶の口を結び、それぞれ自分の分を持ち帰る。翌朝までには唾液によってほどよくアルコール発酵しているという。

近世琉球における口嚙みによる神酒は、『琉球国由来記』にみることができる。要約すると、「当国の神酒は上古代より始まり、四季の祭祀には神前に供える。また婚礼、接待の礼式に必ずこれを用いる」。その作り方は、米粉を煮て婦女子に口で噛ませたものを手でかき混ぜ、その上ずみにできるうすい酒を用いるとしている。(注20)

また社会学者の川村只雄が一九三七年に波照間島での口嚙酒の造り方を報告している。島の神事に供えるのは「ミシュ」と称する神酒であった。何人かの乙女(ミヤラビ)が選ばれて、沐浴潔斎をし、粟や米を噛んで吐き出して酒を造っているという。(注21)『八重山生活誌』の宮城文もまた、神祭りや諸行事に造られ、「カンミシ（噛神酒）」は、ミシカン人(ビトゥ)と呼ばれる歯の丈夫な健康な女を選んで材料を噛ませたと記す。(注22) 池間における口噛み酒の伝統は、私が見た一九八五年を最後にその後は行われていない。

神々と一体化する神憑りの夜

翌朝、フズカサンマの新城サヨさんはすでに前日と同じように体を清め、生母のナツさんが夜籠りのための夜食の準備をしていた。一〇月一五日(旧暦九月二日)の流れは以下の順序で進む。午後一時、ツカサンマ一同は御嶽に入り、ウドゥヌを整える→煙草儀礼(フーダマ)→アーグシャーによる御香の読み(数える)→自治会長からウフユー(豊穣)の供え物→ユークインマの任務を終えたインギョーンマ(隠居した人)からの返礼品→ツカサンマによる感謝の祈り、といった先行儀式が進行する。

①ユンビィ・ニガイ(夕方の願い)

午後五時の夕暮れ時、ナカンマの案内でユークインマたちがユークイヤーの席に着き、夜籠りが始まる。柳田國男は「籠る」ということが祭の本体だったとする。(注23) つまり酒食をもって神をもてなし、その間一同が御前に対座するのがマツリであり、その神に差し上げた食物を末座で共にたまわるのが直会(なおらい)だと述べる。

まさに柳田の指摘する「籠り」のユークイ儀式が始まった。ナカンマはアーグシャーから渡された三〇本の一本線香(六本が一組になっている沖縄独特の平御香ではなく)を日付の変わる明け方まで

夜籠り開始の儀式。盃を拝するフズカサンマ。手前はナカンマの吉浜良子さん。旧暦9月2日（1985年）

灯し続ける。一本ずつ香炉にさし、燃え尽きそうになったら、次の線香に火をつける。その線香が二三本目になった午前一時ごろ、新たな動きが加わる。アーグシャーは全員が持参したミキガミにかぶせてある芭蕉の葉の表面を手で触れて、異常がないかどうかを調べる。葉が破損していたりすると所有者とその家族に祟りがあるといわれている。まれに破損したものがあっても、アーグシャーは口にしない。「今年のユークイのンダマリはきれいですよ」と異常のないことを参列者に報告し、ナカンマと二人のトモンマは二つの膳の椀に全員のミキをガジュマルの葉で少量すくって、そのハナ（一部分）を供える。時には大鳩が舞い降りてきて首を上下に動かして、全員のミキガミを数えるといわれている。

②夜食を届ける家族を待つ

夜籠りが終わる夜明け前には、家族によって食事が届けられる。私はフズカサンマのお弁当をオハルズ御嶽に届ける役割を仰せつかる幸運を得た。明け方三時、母ナツさんが準備した大きなおにぎり五個とゆで卵、マヨネーズであえたキャベツ、飲み物が入った蓋つきの籠（ビラフ）を預かった。暗闇の中をオハルズ御嶽へ。第一の鳥居前には夜食を持参した大勢の家族が集まっていた。フズカサンマのお弁当持ちを担当した私は促されて先頭に立つ。靴を脱ぎ、コンクリートの参道を行くと素足に冷気を感じ、緊張感は増していく。

懐中電灯を照らすのは足元だけだ。決して周囲を照らしてはならないと、前もって注意を受けている。第二の鳥居に着くと、ツカサンマとユークインマたちが待っていた。闇に慣れ、わずかな視界の中で目を凝らす。かすかに気配を感じるや私の手元が軽くなった。フズカサンマの手に渡った瞬間だった。神女たちは静寂の中で家族から受け取った夜食を無言で食べ始める。

③夜籠り明けの神歌と円舞

やがて「籠り」の儀式は終わり一〇月一六日(旧暦九月三日)の朝を迎える。神女たちはユークイヤーを出て、ミャーナカの神前に座り祈願する。そしてアーグシャーが進み出て、池間の神々に豊穣を乞い願う神歌、「ユークイヌアーグ」を謡う。ツカサンマは「ユークイヌカンカリヌウタ」(ユークイの神憑りのうた)と呼ぶ。この神歌は歴代のアーグシャーだけに秘密裡に伝承されてきたものであり、外に漏らしてはならない掟がある。アーグシャーの村山マサヨさんは、神歌を書き留めているノートを決して人には見せない。「歌詞の内容を口外したら神様が夜も眠らさないといわれているからね、恐ろしいさあ」と語る。しかし二〇一七年、三〇年ぶりに再開した折、マサヨさんはその句題と句節の数だけなら、と教えてくれた。

この日ミャーナカでうたう神歌は七つ。ヤグミティダ(一～一二八番まである)、ンマティダ(全一一七番)、ナナムイ(全一三〇番)、ナイカニ(全五九番)、バカバウ(全七二番)、ウイラー(全六六番)と、手帳を確認しながら伝えてくれた。

そして、アーグシャーは別名「カカランマ」とも呼ばれ、神憑りするのが役目でもある。憑依の状態は、自分の意志とはまったく無関係なものであるり、アーグを謡っているうちに体が小刻みに震えだし、そのリズムと旋律に身をゆだねていると、意識することなく、その声は時に高らかに、時につぶやきに似た低音になっていく。しかし歌詞を完全に身につけていないと、神霊が乗り移った状態にはならないという。とはいえこれだけ長い神歌を覚えるのは並大抵ではなかったと、マサヨさんは述懐する。

旧暦９月３日、「ヨーンティル」を唱和しながら拝所をめぐるツカサンマとユークインマたち

キャーン（草冠）に神衣装を着けテウサ（手草）を振りながら豊穣を祈り円舞する神女たち

「畑に行くときも歌詞を書いたメモを持参して暗記しました。気づいたら仕事は手つかずのままで日が暮れていました」。マサヨさんの母、山城メガガマさん（一九〇一年生まれ）は戦後二代目のフズカサンマを務め、父方の祖母もアーグシャーだったが、家庭内で神歌のことを話題にしたことはなかった。

一時間を超える歌唱が終わると、神女たちは立ち上がり、キャーン（草冠）をかぶり、両の手にテウサ（手草）を持ち、フズカサンマは杖を携えてミャーナカで円陣を組む。フズカサンマの先導で、全員が「ヨーンティル、ヨーンティル」（豊穣を満たしてください）と唱和しながらゆるやかな円舞を続けていく。

④神女たちの巡拝

御嶽で約二時間の神歌と円舞を終えると、ユークイのハイライトともいえる巡拝に出発する。島に散在する聖なる場所への長い道のりを、フズカサンマを先頭に、アーグシャー、ナカンマ、アニンマ、ウトゥガマンマに続き、ユークインマたちが年齢順に一列になり、「ヨーンティル」を唱和しながら第一の鳥居から東へ向かう。その巡拝のコースは次頁の図の通りである。

拝所に御香を立て煙草儀式をしてアーグシャーが神歌をうたうのは三カ所である。

③ムイクス（ウジャキヌスという酒の神が鎮座する聖地）。御香を供え、煙草儀式の後、アーグシャーが四二番までの神歌を捧げる。

⑥ウイラ（豊穣の神）。御香を供え煙草儀式を済ませて、アーグシャーは「ウイラヌウフユヌス」を讃仰する五八番までの神歌を奉納する。

⑨ナッヴァ（航海安全の神）。巡拝の後半に入る。御香を供え、煙草儀式を済ますと、アーグシャーにより一一四番までの長いアーグを謡い、神をあがめる。

⑧のカータガーでは家族がお弁当を用意して待つ。私もフズカサンマの新城サヨさんの家族と共に待った。

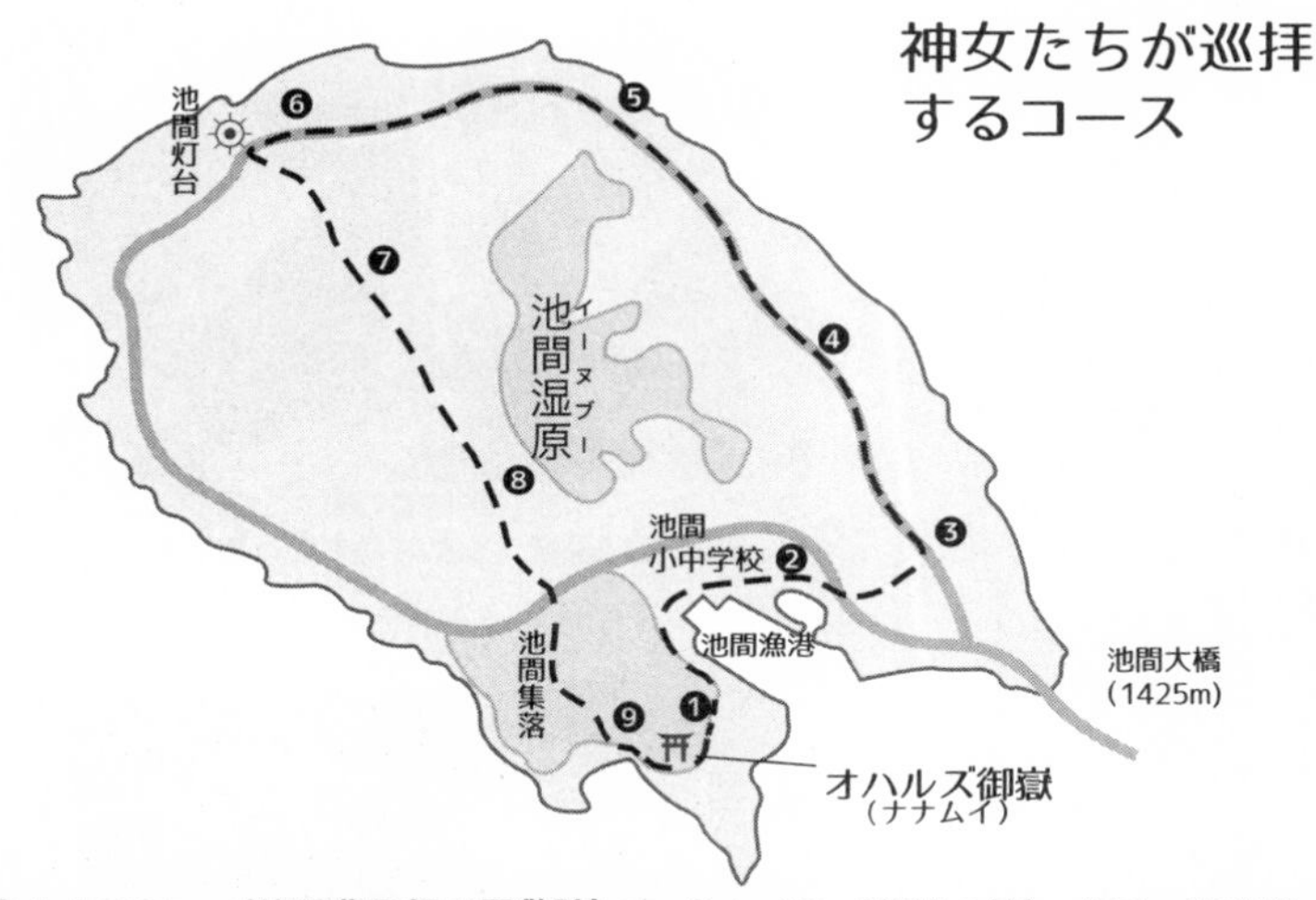

❶ナカマニー（仲間豊見親の屋敷跡） ユークイを導入したと伝承される仲間豊見親（池間方言ではトゥイミャ）の屋敷跡。豊見親を崇め円舞。

❷マーンツ（航海安全の神） 学校敷地のユニムイバラ（砂盛原）で、航海安全の神であるマーンツヌカンに向かって両手をかかげて遥拝。

❸ムイクス（地名） ウジャキヌス（酒の神）が鎮座する聖地。御香→煙草儀→アーグシャが42番までの神歌をうたい、全員で唱和し円舞する。

❹ハナバリンミ 崖の割れた嶺の意味。神の通る道とされる。ここはでは小休止をして、クイチャー（集団踊り）で気分を高める。

❺フナクス 樹木の茂る盛り上が　った地。池間東岸に位置し、アーグシャとナカンマの2人だけが海岸崎に立ってトゥーヌカン（唐の神）を崇め遥拝する。

❻ウイラ（豊穣の神） 御香→煙草儀アーグシャが「ウイラヌウフユヌス」を讃仰する58番までの神歌を奉納し、全員で唱和し円舞する。

❼フィーカー（井戸） アカマミヌカン（赤豆の神）を祀る。簡単な祈願を済ませ、赤豆の豊作を願ってクイチャーを踊る。

❽カータガー（掘抜き井戸） 草冠をはずし、フズカサンマ以外は白い神衣装も脱いで昼食をとる。空腹をいやしクイチャーを楽しむ。

❾ナッヴァ（航海安全の神） 御香→煙草儀→アーグシャが114番まである神を崇める神歌い、今年で神職を終える神女たちを称える解放の場となる。

<ナカマニー>出発点であり最終地点。まずオハルズ御嶽に置いてある神酒や手荷物をとり、ナカマニーの神前に手草や草冠、杖などを奉納する。

カーターガーで家族が届ける昼食をとるフズカサンマ。後ろ姿は筆者（撮影は島の住民による）

巡拝も終盤になるナッヴァ（航海安全の神）で、神女たちは解放される喜びに踊り抱き合う

⑨のナッヴァでは草冠と神衣装を脱ぎ、務めを終わるユークインマやツカサンマに抱き付き、はしゃぎまわる。巡拝の出発点であり最終地点となるナカマニーで、神女たちは使用した手草や草冠、杖などを神前に奉納し、一九八五年のユークイは終了した。

夜籠り小屋の取り壊し儀式

一九八五年一〇月一八日（旧暦九月五日）、ユークイヤー（夜籠り小屋）の取り壊し（ユークイヌフヤーホトキ）が行われた。午前六時三〇分、ツカサンマたちはオハルズ御嶽へ向かう。すでに第一の鳥居前にはユークインマたちが待機している。御嶽に入ったツカサンマたちは、煙草儀式、御香読みの一連の儀式をすますと、指先で小刻みに地面を叩き始めた。「ティー、ター、ミー、ユー、イツ、ムー、ナナ、ヤー、クー、ヌ（の）、トウ」（一～一〇）と、一〇〇まで数える。「ハイ」と呼ばれる儀礼だ。これは神への願いが通じるための呼びかけである。この日、特徴的なのは「ヤラブの葉の儀式」だ。

アニンマとウトゥガマンマはウドゥヌ横のウイバラ（上原）前で祈った後、厚みと光沢のあるヤラブ（和名テリハボク・オトギリソウ科）の葉をウジャラ（お皿）用に三枚摘み取り、受け取ったフズカサンマはウドゥヌ前に配置する。アニンマが持参した盆から、塩と米を一つまみ葉の皿に取り分け、その上からミキを注ぐ。アニンマは米の皿だけを残して盆を下げる。

するとフズカサンマは、米の皿を頭上に捧げてから、ヤラブの葉の皿に、米粒を指先で跳ね飛ばして載せるのだ。米一粒を一俵とみなし、「ヒトムンターラ」（一俵）、「フタムンターラ」（二俵）からトウムンターラ（一〇俵）まで数える。神様に「フヤーホトキ（ユークイヤーの取り壊し）をします」と知らせているのだ。一連の儀式を終了し、男たちはユークイヤーの取り壊し作業に入る。すべての作業が終わり、静まり返ったミャーナカで、ツカサンマ五人は輪になり、フズカサンマが先導してクイチャーを踊る。「イヤササ、イヤササ」と手拍子が入り。「待ってました！」と、かん高い笑いとさんざめきが一〇分ほど続く。ツカサンマたちはこのときやっと解き放たれ、人間に戻るのだという。

元フズカサンマとの再会

池間大橋が開通した一九九二年、私は久しぶりに池間島を訪れた。フズカサンマの任務を終えた新城サヨさんは、橋のたもとで自ら揚げたサーターアンダギーを観光客に売っていた。満面の笑みで迎えてくれたその髪には、フズカサンマの象徴であるべっ甲のかんざしが止められていた。

　そして二〇一七年一一月一九日、今は亡きサヨさんのお宅を訪ねた。現在は、鮮魚店を営んでいる長男の幸美さん（一九五三年生まれ）が、快く迎え入れてくださり、家系図などを見せてくださった。サヨさんは新城家の長女であり、夫の初男さんは婿養子であったこと、幸美さんを含め五人（男二人、女三人）の母であったことなどをはじめて知る。

　一九八五年のユークイ巡拝の日、幸美さんは母の最後の務めを見届けようと、集落内の公民館東側に位置する「ナッヴァ」に駆け付けた。そこで仲間たちから幾度となく抱き上げられ「アヤカリ、アヤカリ」と賛美を受けている母の姿を見て思わず涙したという。どれほど重責の日々であったかを知っていたからである。島の祭祀を担い、集落全体の豊穣と再生を祈願し、フズカサンマの任務を果たした新城サヨさんは二〇一三年、八二歳でこの世を去った。

〈第六章 注〉

1 伊良波盛男『池間民俗語彙の世界―宮古・池間島の神観念』ボーダーインク、二〇〇四年、三九頁。
2 野口武徳『沖縄池間島民俗誌』未来社、一九七二年、二六九～二七一頁。
3 岡本恵昭「葬送の習俗『魔除け』」南島研究会編『南島研究』第一九号、一九七八年、五八頁。
4 飯島吉晴「骨こぶり習俗」『日本民俗学』第一五四号、日本民族学会、一九八四年、八頁。
5 伊波普猷「南島古代の葬制」『伊波普猷全集』第五巻、平凡社、一九七四年、三五頁。
6 上野英信「骨噛み」『上野英信集四、闇を砦として』径書房、一九八五年、一五一頁。
7 柳田國男『葬送習俗語彙』国書刊行会、一九七五年（復刻原本一九三七年）、四七頁。
8 折口信夫「かまどの話」『折口信夫全集』（ノート編第七巻）、中央公論社、一九七一年、四〇〇～四〇一頁。
9 伊良波盛男『わが池間島』二〇一一年、池間郷土研究所、一〇九頁。
10 前掲、伊良波盛男『池間民俗語彙の世界―宮古・池間島の神観念』四五～四六頁。
11 同右、七～八頁。
12 琉球政府文化財保護委員会監修『沖縄の民俗資料 第1集』一九七〇年、二一七頁。
13 宮城栄昌『沖縄ノロの研究』吉川弘文館、一九七九年、八八頁。
14 「御嶽由来記」平良市史編さん委員会編『平良市史　第三巻 資料編1 前近代』平良市役所、一九八一年に所収、三八～三九頁。
15 仲宗根将二「池間島の〝ユークイ〟みたまま」『平良市の文化財』平良市教育委員会、一九七七年度文化財要覧、三一頁）。
16 「雍正旧記」前掲『平良市史 第三巻 資料編1 前近代』所収、四三頁。
17 大井浩太郎『池間嶋史誌』池間島史誌発行委員会、一九八四年、三一八頁。
18 『聞得大君加那志様御新下日記』（『沖縄研究資料』法政大学沖縄文化研究所、一九八四年。五三、五四、九八、一〇二、一〇六、一〇八、一一一、一一三頁。

19 酒井卯作「煙草の利用法についての資料」『南島研究』第五〇号、南島研究会、二〇〇九年、二三頁。
20 「琉球国由来記」『琉球史料叢書 第1巻』井上書房、一九六二年、九九頁。
21 河村只雄『南方文化の探求』沖縄文教出版、一九七三年、一五二〜一五三頁。
22 宮城文『八重山生活誌』沖縄タイムス社、一九七二年、二六四頁。
23 柳田國男「日本の祭」『定本柳田國男集第十巻』筑摩書房、一九六二年、二一九頁。

終章　地域共同体の再生に向けて

お年寄りたちから学ぶ「島学校」。アダナス（アダンの気根）で縄を編み民具を作る（2017 年）

基盤としてのＮＰＯ法人

死と向き合う過疎の島の現実

離島の池間島で生まれ、一五歳で高校入学のために島を離れ、卒業後も就職先がないので帰省することなく、宮古島（平良）で家庭を築いた一九五二年生まれの六人の女性たちは、いかにして高齢化の進んだふるさとに、介護事業所を立ち上げることができたのだろうか。

ＮＰＯ法人いけま福祉支援センターを基盤として、小規模多機能型居宅介護事業所の運営、地域住民の交流を促進する島おこし事業、民泊事業、児童クラブ事業など多彩な活動への道のりは、決して平坦なものではなかった。

高校卒業後、社会人になった彼女たちは、十数人で月に一度の模合(注一)の集いを重ねてきた仲間でもあった。島からの高校進学は、下宿代から週末の帰宅に必要な池間と宮古島狩俣を結ぶ連絡船の費用など、漁家の両親にかける経済的負担は共通の悩みだった。米軍占領下の高校で昼食時に学校の売店で購入する五セントのパンさえ買えないこともあり、一セントのコーラで空腹を癒すことも度々だった。

メンバーの一人、前泊博美さんは、少女時代からなぜ島の暮らしは貧しいのだろうかと考え続けていた。それは学歴の問題だと語った母の言葉に背中を押されて、奨学金とアルバイトで沖縄大学へ進学した。卒業後は島に戻り、実家で学習塾を開いた。島の子どもたちの学力の差を埋めたいとの願いからだった。

四畳半二間（一番座と二番座）を教室に、その間家族は台所と三番座に押し込む形になった。二八歳で高校教員から役所勤めになった前泊治さん（一九四五年生まれ）と結婚し、平良に新居を構えるが、連絡船で池間に通い塾を続けた。娘が二人になり池間通いが不可能になった三〇歳には、新たに平良で塾を開いて働き続けた。

朝晩介護者を送迎するきゅーぬふから舎の介護専用車

そして同級生たちは四〇代を迎え、子どもたちも成長した一九九二年、池間大橋が開通した。ふるさとへ出かける機会が多くなって、気づいたことは島が想像以上に衰退していることだった。橋がかかれば豊かな島が戻ると期待された大橋は、逆に人口流出に拍車をかけ、医師の常駐、巡回診療もなくなった。人口五九八人、(注2)三〇年間で四割減少、高齢化率四六・五%の島は、(注3)年寄りの一人暮らしと老々介護が増えていった。

幼なじみの模合の席は、池間の情報交換の場となった。「どこの

理事会。左手前から前泊博美理事長と喜久川智穂子理事、右側、儀間利律子副理事長と砂川ミサ子理事。2 理事欠席（2017 年）

おばあは介護施設に入れられたってよ。そうよ、あのおじいも遺骨になって島に戻ってきた」。病院や介護施設のない島では島外の施設に入るしかないのである。島に帰ってくるときは遺骨になっている。つまり島を出ることは死を意味していたのだ。そして久しぶりに出会ったお年寄りたちは「池間の子どもは大きくなると島を捨てるさあ」とつぶやく。

ショックだった。我が子のように育ててくれた親しい人びとの嘆きの声だった。

では、そのお年寄りたちに安心して島で暮らしてもらうにはどうしたらいいのか。同級生グループの六人は立ち上がることになる。手料理を持参して接待する夕食会を始めた。二〇〇三年のことだった。会場は前泊博美さんの夫の実家だった。当初は声かけをした六、七人から始まり、食事とゲームを楽しんだ。次第に二〇人まで増え、公民館を利用することになった。「楽しいね、昼間はこうしてユンタク（おしゃべり）して、夜は住み慣れた自分の家で眠る。最期まで島で暮らせたら良いねえ」と次の週末を待ち望んでくれるようになった。公民館には給湯設備がなく、使用した食器はそのまま家に持ち帰った。回を重ねるごとに参加者が増えていき、六三人になった。

午前と午後の部に分けてのサロン開設も手狭になり、宮古市に交渉して、「池間島離島振興総合センター」（離島文化の保存振興、産業、社会教育、生活改善の推進など多目的な総合施設）を活用することになる。

「島で暮らしたい」という高齢者の願いは、もはや単にサロン的な対応では処理できない状況を迎えていた。

介護事務所の立ち上げ

二〇〇五年、島全体の意向確認のために、六〇歳以上の全島民四〇五人を対象に、面接式でアンケート調査を行った。有効回答数三〇三人の結果を分析すると、「介護が必要になっても池間島で過ごしたい」という回答が八五％に達した。池間に介護施設が必要だということだ。

なんと同級生グループは二〇〇六年、島唯一の介護事業所として小規模多機能型居宅介護事業所「きゅーぬふから舎」（嬉しいね、幸せだねという意味）を開所したのだ。理事長は前泊博美、副理事長が儀間利律子、理事の喜久川智穂子、砂川ミサ子、仲間朝美、砂川修代の六人である。

時代の流れも後押しした。二〇〇六年四月の介護保険制度改正により小規模多機能型居宅介護が創設され、地域密着型サービスとして位置づけられた。一つの事業所で通いを中心に、利用者の状況に応じて訪問や宿泊サービスを組み合わせて利用することができるようになったのだ。利用者にとっては、住み慣れた地域でなじみのスタッフから介護サービスを受け、在宅で生活をサポートしてもらえる制度である。これは市町村が指定権限を所有し、国が定める基準の範囲内で、地域の実情に応じた指定基準と報酬設定ができるというものだった。

この法的好機を逃すことなく、前泊博美を筆頭とする六人は、市役所に日参した。宮古島市の介護保険計画の中に池間の小規模多機能型デイサービスを盛り込んでほしいと要請し承認を受けることができた。粘り勝ちだった。とはいえ運営面ではＮＰＯ（特定非営利活動）法人なので、銀行の融資は受けられない。三年間は赤字続きだった。自分たちの給与どころか、持ち出しと借り入れ先を工面してしのぐ以外なかった。しかし、前泊理事長は強気だった。

儀間利律子副理事長はそんな前泊の行動を振り返り苦笑する。「この人は怖いもの知らずでね。行政とどれだけケンカしたことか。いまはちゃんと利益も上げていますよ。実は私もここまでの規模になるとは思わなかった。いつまでこんなことしているのよと、くじけそうになったら、博美がね、こんなことを言ったの。〈ゆうべ夢を見た。オハルズの神様が三年間待てと言っていた。だから利津子、三年間は我慢しようよ〉と。我慢したら、ほんとうに少しずつ少しずつやれるようになった」。

育ててもらった島への恩返しが出発点だ。資格を必要とするケアマネージャー以外のスタッフは島の住人を雇う。おむつの当て方、送迎、食事の介助、入浴などすべて利用者に耳を傾けながら学んでいった。これまで八六人が利用し四五人の在宅看取りも実現した（二〇二〇年六月現在）。

看取りを学びヘルパーとして

沖縄県立看護大学の大学院生、山城英恵さん（一九八四生まれ）が実習生として事業所にやって

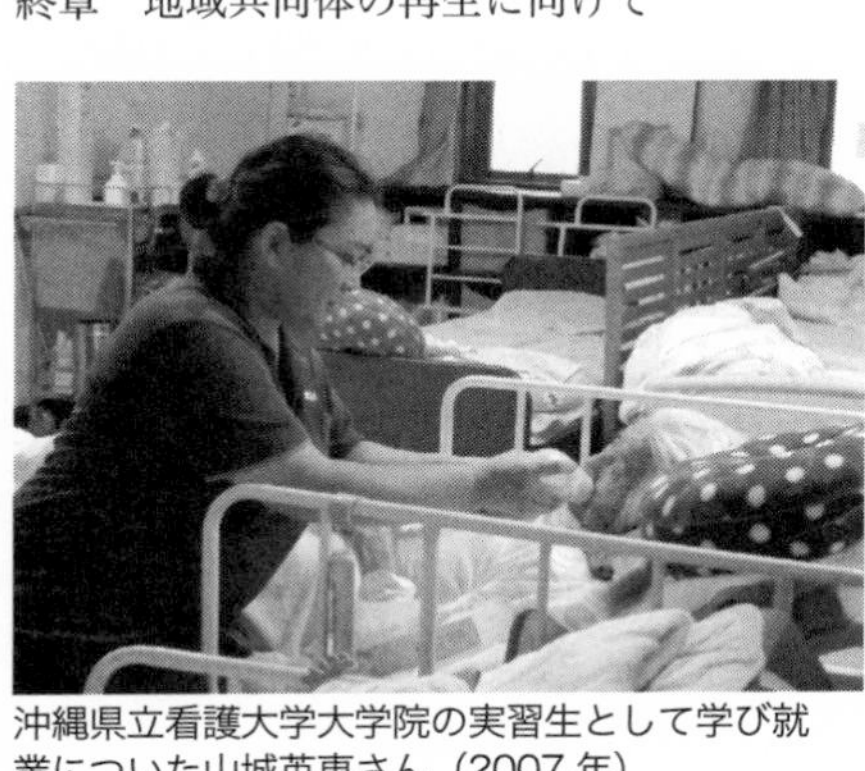
沖縄県立看護大学大学院の実習生として学び就業についた山城英恵さん（2007年）

きたのは二〇一六年のことだった。英恵さんは沖縄本島那覇市の出身。沖縄県立看護大学を卒業後、京都府の地域包括支援センターに勤務。高齢者の総合相談など専門職の保健師として五年半働いた。三〇歳を前に高齢者の分野をもっと深めたいと考え、母校の大学院に進んだ。

もともと人間の臨死期における「看取り」に向き合いたいと考えていた英恵さんは、大学院の先生に相談。「きゅーぬふから舎」を紹介され、池間島を訪れた。

初めて担当したのは前泊理事長の母、上原千代さん（一九二九年生まれ）だった。認知症を患っていたが、「ホーカアサン（みんなのおかあさん）」というあだ名がつけられ、夫やその両親、障害のある兄弟の介護をし、畳の上で看取りをしてきた人だった。介護を受ける側の心を知りつくしていた。ある日、英恵さんは「これまでの人生でつらかったことはなかったですか」と千代さんに聞いた。「楽しかったよ」と即答が返ってきた。大変な人生を歩んできたはずなのに、どうしてそんな言葉が出るのだろうか、と心を打たれた。

実習が終わった後も千代さんの容態が気がかりで、池間を訪れていた。二〇一六年二月二六日の最終便、通い慣れた宮古空港で飛行機を降りると、なぜか胸騒ぎがした。夜九時半ごろ池間に着き「千代さん、会いに来ましたよ」と言って覗き込むと、胸が波打ち苦しそうだ。肩で大きく呼吸をし、ふっと息を吐いて静かに呼吸が止まった。不思議な感覚だった。

「あんたに命を繋いだからねと、言われたような気がしました。二カ月を通して千代さんは身をもって死の瞬間を私に見せてくれたのです。死ぬということをマイナスのイメージでとらえていた私に、決してそうではないことを教えてくれたのです。悲しいけれど光り輝いているような時間でした」。

実習生として関わった英恵さんに、死と命の再生というメッセージを伝えて、千代さんは八七歳の生涯を閉じた。そして英恵さんは、働く場を池間に決めた。大学院を留年したまま「きゅーぬふから舎」でヘルパーとして働くことにしたのだ。遠隔の地へ旅立つ娘を両親は反対し悲しんだが、千代さんから命を託されたと信じ、介護の日々を歩んでいる。

民泊事業とコミニティ再生

事業所の立ち上げから四年目の二〇一〇年夏、手探りで高齢者の拠点づくりを進めていた池間島に衝撃が走った。八〇歳代の死者を出してしまったのだ。閉め切った家の中での熱中症だった。池間大橋がかかって以来、島外からの人の出入りが多くなり、一人暮らしの高齢者は雨戸を閉め、カギをかけて寝るようになっていた。都会特有と考えられていた孤独死。あらためてコミュニティの再生という課題をつきつけられることとなる。「介護だけでなく、高齢者の出番と居場所をつくり、生きがいと誇りを取り戻すことが重要だということに気づいたのです」と前泊理事長。そして登場したのが二〇一一年の「民泊事業」だった。

「村落共同体の再生」とお年寄りたちの「生きがい」づくりを目指し、高齢者家庭で修学旅行生を受け入れる民泊事業だ。農業、漁業の体験や島の高齢者の知恵や経験、自然や文化に触れる機会づくりを計画した。

ヒントになったのは、島の伝統的な慣習、「トゥンカラ」だった。明治大正期の池間には前述したように、一二、三歳から結婚年齢に達するまでの期間、男女それぞれに「トゥンカラヤー」という共同生活をする場があった。共に暮らした幼なじみ(トゥンカラアグ)は、生涯固い友情で結ばれた。戦後の住宅事情が乏しい時代には、それぞれの家を泊まり歩き、助け合いと学び合いの場として島の慣習は引き継がれてきた。理事たちは、その伝統を民泊事業に生かしたのだった。

沖縄県でも、地域以外の住民が沖縄の自然や伝統文化を体験する滞在型、参加型観光を促進し、地域の活性化を図る「体験滞在交流促進事業」を展開支援し始めた。ここでも即刻参入を目指した。

「宮古島観光協会と手を結び、情報提供と集客、学校、旅行会社との調整を引き受けてもらいました。私たちはお年寄りを資源だと考えています。核家族で育った子どもたちにとっても生きる力を養う場になるはずです」と前泊理事長は手応えを感じている。

八〇歳以上の元気な夫婦家庭九軒で始めた民泊事業は開始から八年を経た二〇一八年、九五校、八五二二人の生徒たちが島を訪れた。島に大きな経済効果をもたらし、ＮＰＯの基盤づくりは終了したとして、二〇一九年からは「一般社団法人池間島観光協会」に移行された。。

人材導入で新しい風

民泊事業と島おこし事業の発展のためには有能な人材が必要だと、前泊博美理事長は考えた。まちづくりのイベントで知り合ったのが神奈川県出身の三輪智子さん（一九八七年生まれ）だった。彼女は　大学で環境政策とまちづくりを学び、卒業後は、ＮＰＯ法人の環境教育や自然再生の仕事に従事していた。前泊理事長の誘いを何の抵抗もなく受け入れた。　二〇一二年から池間島で民泊受け入れコーディネートや全戸に配布する島内新聞「すまだてぃだより」の制作などに取り組んできた。

そして翌一三年には、三輪大介さん（一九七〇年生まれ）がメンバーに加わった。専門は共同体の資源管理（コモンズ論）。現在の関心事は、近世琉球列島における蔡温の資源管理論。まさに池間島の地域再生は大介さんのライフワークと適合した。池間島で同じ仕事に就いた二人は結婚。子育てをしながら島おこし事業に関り、島の自然や文化、懐かしい風景を題材とした「イキマ島こよみ（カレンダー）」の発行や、民泊の体験メニュー作り、池間島憲章の制定、在来作物の復活や在来樹種の育成、地域の伝統を次世代に引き継ぐ「いけまシマ学校」の企画、シンポジウム（琉球弧アダンサミット）の開催、ＨＰ作成と実践を積み重ねてきた。

また二〇一四年から発刊しているカレンダーの売り上げは五年間で三〇〇万円を超えた。それを基金として二〇一八年四月、給付型奨学金制度を創設し、毎年希望者に奨学金が贈られている。

三輪智子さんは「池間島の美しい自然と暮らしを守るタマヌオイルを商品化したい」と二〇一八年一〇月一五日、インターネットサイトを通じて、広く資金を集めるクラウドファンティング（運営会社：READYFOR）で得た資金で新事業を起こした。

商品名「タマヌオイル」とは、宮古八重山では防風林や並木にみられるヤラブ（テリハボク）の実から抽出したオイルの商品化。南太平洋の島々では皮膚疾患の万能薬として使われてきた歴史があり、近年では欧米のコスメ業界からも注目されているという素材。その事業と島おこし運動を連携させ、島では「ヤラブの森作り」が実践されている。同年七月に自治会所有地にヤラブの苗一〇〇本とアカバナ五〇本の苗が住民によって植樹された。一〇年後にはこの森からヤラブの実を収穫し、「タマヌオイル」を池間の新しい産業に育てることをめざしていくという。

活動は順調に具体化していった。二〇一三年、「いけま島おこしの会」設立、組織体制を確立した。高齢者の経験や生活の知恵を記録にとどめ、そこから次世代へ引き継ぐべき島の宝物を再発見していく取り組みとして「アマイ・ウムクトゥ・プロジェクト」を実施。島で生きてきた高齢者の暮らしの知恵、生きる力を意味する池間の言葉である。かつての島の暮らしに着目することでたくさんの宝物を発見するはずだ。その宝物を拾い集めよう。力を合わせて掘り起こし、体験する場所として島学校（校長は儀間副理事）を開校した。

島の素材を用いた手仕事。みそや豆腐づくり、イカの餌木、アダンの気根（アダナス）の縄や草履など、島で作られていた農産物の見直し、海産物の付加価値を高めていく工夫など、「生産の場づくり」が盛り込まれている。機会あるごとに助成金、補助金などの支援を受ける情報収集にアンテナを張り巡らせ、これまで宮古島市をはじめ、各財団、沖縄県などから支援を受けてきた。

二〇一七年からは島外の社会資源も活用し、児童クラブ「みんなのおうち」という子育て支援を促進するプロジェクトを立ち上げた。政府による「子ども・子育て三法(注4)」に基づく子ども・子育て支援新制度が二〇一五年四月から施行され、この好機を理事たちが見逃すことはなかった。公的支援を使ってなんとか島の子どもたちをサポートしたい。国、市の三分の一ずつの補助事業として、「児童クラブ」が適合した。しかし池間単独では小規模すぎて支援資格に満たないので、一八歳未満のすべての子どもということで「みんなのおうち」（平良の北部地域）として立ち上げることができた。場所は休園状態になっていた池間の幼稚園を借り受けた。現在スタッフはきゅーぬふから舎で一三人、島おこし事業などの人員は二四人で活動を支えている。

「池間島だからできること、池間島でしかできないこと」を目標に、いま池間島はＮＰＯ法人いけま福祉支援センターを軸に、自治会、漁業協同組合、老人クラブ、郷友会などの組織と連携して島おこし活動が展開されている。そして何より大切にしているのは住民間の情報の共有だ。池間民族の集い、ミャークヅツ、糸満漁民によってもたらされたというハーレー行事の「ヒャーリクズ」（速く漕ぐ意の海神祭）などの民俗行事、シマ学校（島の素材を利用した手づくり教室）、地域の歴史や暮らしを高齢者から学んで観光事業に生かすワークショップ「池間島まるごと暮らしのミュージアム」など、島内行事はすべて定期刊行物『すまだてぃだより』（月刊四〇〇部）に掲載、全戸に配布され、島人（すまびとぅ）全員が共有する大切なツールになっている。

小規模多機能型居宅介護事業所、お年寄りから学ぶ生きる力や命の大切さ、次世代に継承するプロジェクトの取り組みなどが循環し、「今日も楽しいね」といって生きられる地域共同体の再生への道が着実に実を結び始めている池間島である。

〈終章 注〉

1　沖縄各地で親しまれている頼母子講（たのもしこう）の一種で、相互扶助的金融の仕組み。親睦を兼ねたものから大規模なものまである。

2　二〇一七年三月末現在の住民基本台帳登録人口、宮古島市役所市民生活課。

3　二〇一六年一二月末現在、宮古島市高齢者支援課。

4　衆議院で二〇一二年八月に可決成立した子ども・子育てを総合的に推進する法律。

あとがきにかえて

沖縄本島の糸満漁民調査に参加したことをきっかけに、私がひとり糸満通いを始めていたのは、一九八五年ごろのことだった。潜水による大型追込網漁アギヤー（廻高網）を生み出し、県外はもちろん海外に出漁した時代背景と、その大量の漁獲物を売りさばく、販売の担い手としてのアンマーたちの強い精神力と経済的自立性に心を奪われた。

まだ何もつかめず、手探りの状況が続いていたそんな時期に、またもや訪れたのが宮古島調査だった。迷うことなく池間島を選んだ。沖縄本島の代表的な糸満の海人（ウミンチュ）と、遠く海を隔てた宮古島池間の海人（インシャ）を対比することで、漁民集落の形態と漁労の特殊性を見い出したいと願ったからだ。両者ともに海を生産の場とする伝統的な漁村集落であった。

池間島は、一九九二年に池間大橋がかかる以前は、フェリーや連絡船で宮古島本島と結ぶ離島だった。デジタルカメラ普及以前であり、私は重いフィルムカメラを抱えて池間の桟橋に降り立ったものだった。「神の島」と呼ばれ、聖なる祭祀と漁労活動を両輪とする島の人びとは、糸満と同様に迎え入れてくれた。

沖縄との関りでは、一九九八年から約一〇年、沖縄本島中南部に位置する浦添市で、私はプロジェクトチームとともに『小湾字誌』（写真集、記録集、戦中戦後編）の編集を担う仕事に係わることになった。「ちゅらさ小湾」（美しい小湾）と呼ばれた浦添唯一の海辺の集落は、沖縄戦によって戦場となり、焼き尽くされて、敗戦後はすべての居住地と農耕地が米軍基地（キャンプ・キンザー）に接収された。

多くの肉親を失った悲しみを背負いながら、生き残った人びとの戦後もまた過酷なものだった。ふるさとを接収され、帰る地のない小湾の人びとが、四年間にわたる収容所生活ののち、移住したのは割当農耕地の宮城クモト原と呼ばれた原野だった。住民総出で借地の荒れ野を整地し、現在の宮城六丁目に新たな小湾市街地を築くには長い歳月を必要とした。その記録を作る私にとっても、いきなり戦場に投げ出されたのも同然だった。人びとの血まみれの体験に耳を傾けながら、その返り血を浴びるような感覚に、私は幾度となくたじろいだ。そして約一〇年、三部編の『小湾字誌』が刊行されたとき、もはや沖縄は「他者」ではありえなくなっていた。

私はふたたびこの書で、糸満や池間島の人びとが体験してきた海外移民、外地での戦争、沖縄戦、そして戦後の再出発と立ち向かうことになった。

分村を含めた糸満へは、ほぼ途切れることなく訪れる機会は続いていたが、池間島への再訪には期待と同時に不安もあった。経済基盤であったカツオ漁業は衰退し、共同体の精神的支柱であったカンニガイ（神願い）を司るツカサンマも選出できない状況で、どうなっているのか。しかし島は県内外からも注目される新たな歩みをはじめていたのは本書のとおりである。どのような時代にあっても、地域共同体と祭祀によって困難を乗り越え、現在、過去、未来へとつないでいく、海に生きる人びとの精神的営為に触れた、私の長い道のりであった。

ここにたどり着けたのは多くの方々のお力添えにほかならない。本書に登場してくださった方々はもちろん、資料提供をはじめ、私の駆け込み寺的存在だった糸満市教育委員会の加島由美子氏、雑誌連載中から細かいチェックをし、報告の場（次頁）を準備して下さった金城善氏、糸満漁業協同組合の東恩納博組合長、前組合長の金城宏氏、城間辰也参事をはじめ職員の皆様、先輩漁師や門中関係者を訪ね、確認に走って下さった上原隆氏、上原悟氏、門中組織に精通した宮城英雄氏、池間島の詩人で郷土史家の伊良波盛男氏。まだまだ多くの方々が脳裏をかけめぐる。

最後に糸満での取材に同行し、常に伴走して下さった市来哲男氏と、連載原稿を再構成し、出版にまでこぎつけて下さったボーダーインクの池宮紀子社長に深く感謝申し上げます。

二〇二〇年七月

＊本書は、月刊誌『きらめきプラス』（愛育出版）での連載「沖縄の女たち」（全二五回、二〇一七年六月第五六号～一九年一一月第八〇号、七八号から誌名『きらめきプラスVolunteer』）を再構成し加筆修正したものです。なお提供者を明記した写真以外は、すべて筆者による撮影です。

糸満市西区公民館で開催された「第36回　糸満の歴史と文化研究会」にて〈「沖縄の女たち」連載を終えて〉と題して講演が行われ、会場には100人を超す参加者が詰めかけた(2019年12月19日)

本書に出てくる主な場所

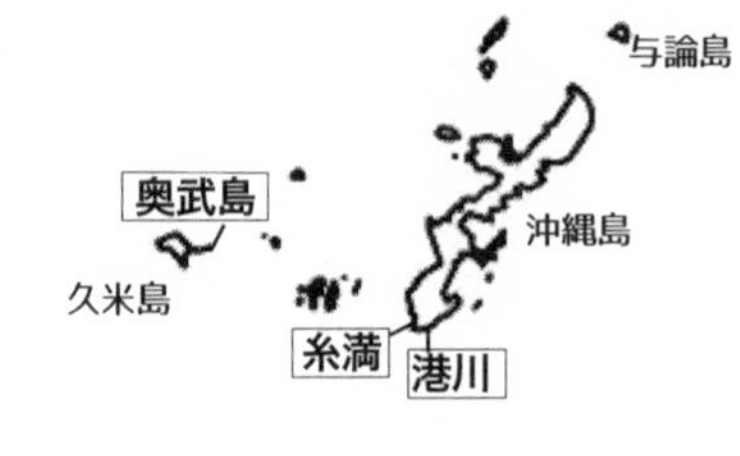

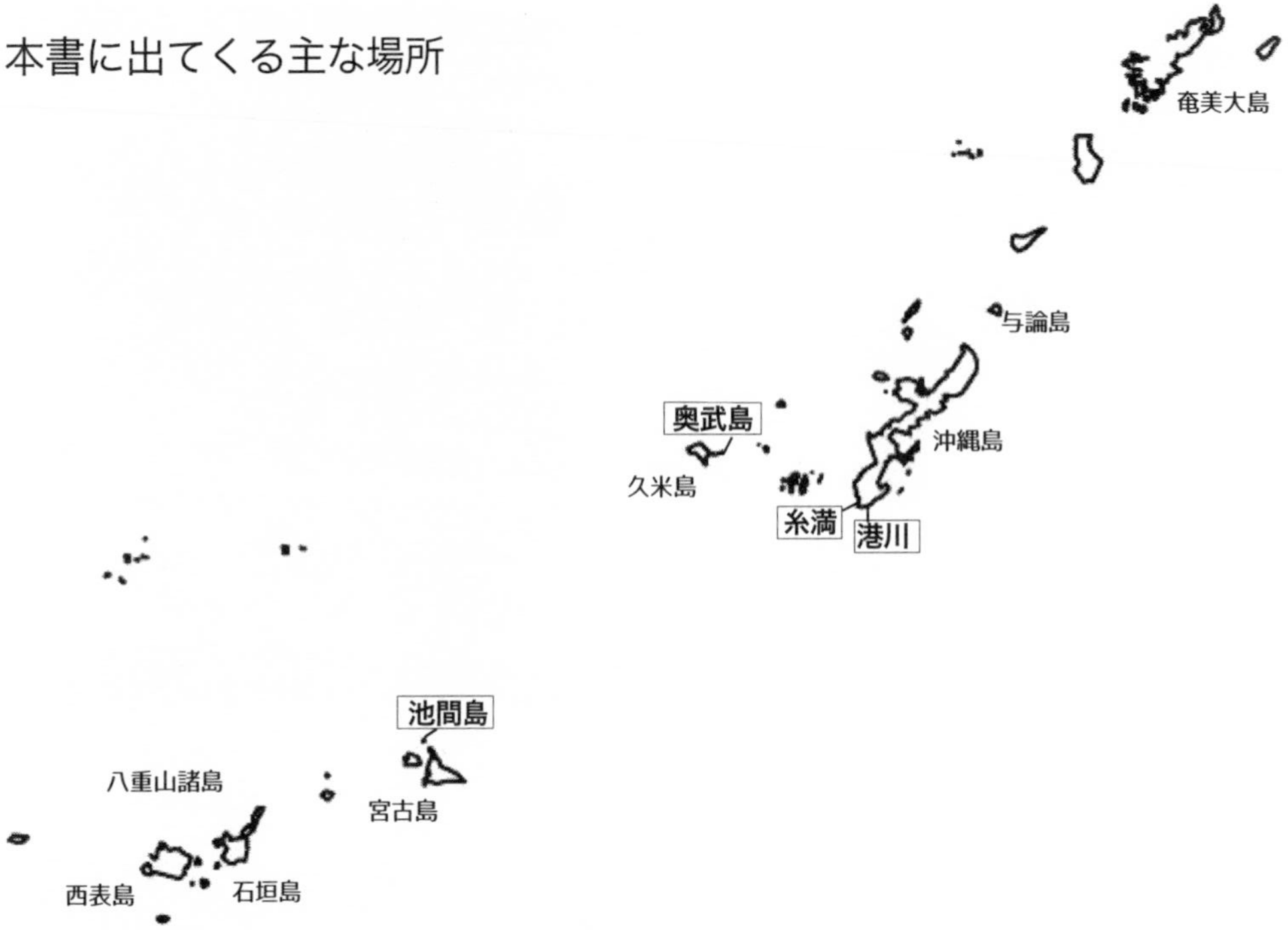

著者略歴
加藤　久子（かとう・ひさこ）

1937 年生まれ。法政大学沖縄文化研究所国内研究員
1998 年から約 10 年、浦添市の小湾字誌編集委員会による『小湾字誌』（三部編）の編集・執筆に関わる。

写真集『よみがえる小湾集落』2003 年。小湾戦後記録集『小湾議事録』2005 年。本編『小湾字誌』（戦中・戦後編）2008 年。

【著書】

『糸満アンマー　海人（うみんちゅ）の妻たちの労働と生活』（おきなわ文庫）ひるぎ社、1990 年。

『海の狩人 沖縄漁民−糸満ウミンチュの歴史と生活誌』現代書館、2012 年（沖縄タイムス出版文化賞正賞受賞）。

表紙写真：1960 年頃の糸満風景。東風平朝正撮影（糸満市教育委員会提供）

海に生きる 島に祈る
−沖縄の祭祀・移民・戦争をたどる−

2020 年 8 月 31 日　初版第一刷発行

著　者　加藤　久子

発行者　池宮　紀子

発行所　ボーダーインク
〒 902-0076　沖縄県那覇市与儀 226-3
電話　098(835)2777　　fax　098(835)2840
http://www.borderink.com

印刷所　でいご印刷

ISBN978-4-89982-390-2